UNA NOCHE EN LA LUNA

UNA NOCHE EN LA LUNA

Cath Crowley

Traducción de Pilar Ramírez Tello

MOLINO

Título original: *Graffiti Moon*
Autora: Cath Crowley

Publicado originalmente en Australia en 2010 por Pan Macmillan

© del texto, Cath Crowley, 2010
© de la traducción, Pilar Ramírez Tello, 2011
Diseño de cubierta: Compañía
Dibujo de cubierta: Montse Bernal
Fotocomposición: Víctor Igual, S. L.

© de esta edición, RBA Libros, S. A., 2011
Avda. Diagonal, 189-08018 Barcelona
www.rbalibros.com / rba-libros@rba.es

Primera edición: mayo, 2011

Ref: MONL041
ISBN: 978-84-2720-09-51
Depósito legal: B-16.982-2011
Impreso por: Liberdúplex

Para Teresa y todos los presentes.
Y para Ester, que lo leyó primero.

Agradecimientos

Muchas gracias a Claire Craig, Brianne Collins y Simone Ford; aprecio sobremanera vuestras cuidadosas correcciones. Gracias a Elizabeth Abbot, Marcus Jobling, Duro Jovicic, Kirsten Matthews y Karen Murphy por hablarme de arte. Gracias a Bethany Wheeler por donar tan generosamente su tiempo y sus conocimientos sobre soplado de vidrio. Cualquier error que aparezca en la novela es solo mío; lo bueno es cosa de ella. Un agradecimiento especial a los jóvenes que compartieron sus historias conmigo. Gracias de corazón a mis sobrinos por permitirme hacer todas las preguntas que quise sin mandarme nunca a paseo. Gracias a Alison Arnold por tramar conmigo en el coche, a Diana Francavilla por sus conocimientos (tan amplios que daba miedo) sobre literatura y cine para jóvenes, a Emma Schwartz por sus consejos sobre escritura, y a Ange Maiden por no parar de reír. Y, por último, gracias a mis hermanos, a Cate, Cella y Ras, y, por supuesto, a mi madre y a mi padre.

Lucy

Pedaleo deprisa por Rose Drive, donde las casas nadan en charcos de luz naranja artificial; donde la gente se sienta en los porches con la esperanza de notar algo de brisa. Quiero llegar a tiempo. Por favor, que llegue a tiempo.

Al me envió un sms: «Acabo de llegar al estudio. Tus grafiteros, Sombra y Poeta, están aquí». Así que salí disparada en plena noche. Pedaleaba bajo un cielo que se desangraba, camino de volverse negro. Dejé a mi padre sentado en la puerta de su cobertizo, gritando: «¡Creía que habías quedado más tarde con Jazz. ¿Dónde está el incendio, Lucy Dervish?».

Dentro de mí, bajo mi piel.

Que llegue a tiempo. Que conozca a Sombra. Que conozca a Poeta, también, pero sobre todo a Sombra, el chico que pinta en la oscuridad. Que pinta pájaros atrapados en paredes de ladrillo y gente perdida en bosques fantasmales. Que pinta chicos a los que les sale césped del corazón y chicas con estridentes cortacéspedes. Un chico que pinta cosas así es un chico del que podría enamorarme; enamorarme de verdad.

Qué poco me falta para conocerlo, qué ganas tengo de encontrarlo. Mi madre dice que el instante en que lo que quieres colisiona con lo que obtienes es el momento de la verdad. Quiero colisionar. Quiero chocarme con Sombra y dejar que la fuerza del golpe desparrame nuestros pensamientos para que podamos recoger los del otro y pasárnoslos como si fueran montoncitos de piedras relucientes.

Desde lo más alto de Singer Street veo la ciudad de neón azul ante mí. Hay relámpagos en lo más profundo del cielo, se abren camino a través del calor hasta la superficie. Oigo risas en alguna parte. Veo una de las obras de Sombra, un dibujo sobre un muro medio derruido en el que se ve un corazón agrietado por culpa de un terremoto con estas palabras debajo: «Más allá de la escala de Richter». No es el típico corazón de las tarjetas de San Valentín, sino el corazón tal y como es: delicadas venas, aurículas y arterias. Un bosque del tamaño de un puño dentro del pecho.

Aparto las manos de los frenos y me dejo llevar. Los árboles y las vallas se mezclan, y el hormigón podría ser el cielo y el cielo podría ser el hormigón, y las fábricas se extienden ante mí como un sueño dispersado por la luz.

Tuerzo al llegar a la esquina y vuelo por la calle de Al. Hacia su estudio, hacia él, que está sentado en los escalones bajo unas polillitas que juegan en la claridad. Hacia una sombra lejana. Una sombra de Sombra. Veo venir la colisión.

Dejo la bici rodar durante el último tramo y freno.

—Llegué, lo he conseguido. ¿Estoy bien? ¿Qué pinta tengo?

Al apura su café y deja la taza en el escalón, a su lado.

—La pinta de una chica que llega cinco minutos tarde.

Ed

Pinto el cielo deprisa. Ojos delante y detrás. Por si vienen polis. Por si viene cualquiera que no deseo que esté aquí. La pintura vuela y las cosas que me dan patadas en la cabeza pasan gritando de la lata al ladrillo. Mira esto, mira esto, mira esto. Mira cómo me vacío en una pared.

Lo primero que pinté fue a una chica. Lo segundo que pinté fue una entrada en una pared de ladrillos. Pasé a dibujar enormes entradas. Después me dio por los cielos, cielos abiertos pintados sobre entradas pintadas, y pájaros pintados que volaban a ras de los ladrillos intentando huir. Pajarito, ¿en qué piensas? Has salido de una lata.

Esta noche estoy haciendo un pájaro que llevo metido en la cabeza todo el día. Es un bichito amarillo tumbado sobre una bonita hierba verde. Con el buche hacia el cielo y las patas en la misma dirección. Podría estar durmiendo. Podría estar muerto. El amarillo está bien. El verde, también. Pero el cielo está mal, necesito un azul que te vuelva del revés. Esa clase de azul no se ve por aquí.

Bert siempre lo estaba buscando. Más o menos cada semana me enseñaba en la tienda un azul que había encargado especialmente para mí. «Casi, jefe —le decía—, pero no del todo.»

Todavía no lo había encontrado cuando murió, hace dos meses.

Tenía todos los demás colores que yo necesitaba. El verde en el que está tumbado este pájaro es un tono que encontró hace dos años.

—Has tenido un primer día estupendo —me dijo cuando me lo dio—. Estupendo de verdad.

—Este color es de puta madre —contesté después de rociar con él una tarjeta; lo tomé como una señal de que había sido buena idea dejar el instituto para trabajar con él.

—Es de puta madre —repitió Bert, mirando detrás de él—, pero no digas «de puta madre» cuando mi mujer esté por aquí.

Bert siempre soltaba palabrotas como si fuera un crío temeroso de que lo pillaran. Me reí de él hasta que su mujer, Valerie, me oyó decir una palabrota. Bert fue el que se rio aquel día.

—¿Qué tiene tanta gracia? —pregunta una voz detrás de mí.

—Mierda, Leo —respondo, y veo que una línea azul se ha metido en la hierba de la pared—. No te acerques así.

—Llevo llamándote un rato, desde lo alto de la colina. Además, recuerda que el ayuntamiento decidió que este sitio era legal —explica Leo mientras se termina su rollito de salchicha—. Me gusta el subidón de saber que nos pueden pillar.

—A mí me gusta el subidón de pintar.

—Me parece justo —responde, y me observa un rato—. Te llamé antes al móvil. Estaba desconectado.

—Ya. No pagué la factura —digo, pasándole la lata—. Escribe, tengo hambre.

Leo mira mi imagen de un cielo abierto flotando sobre un pájaro amarillo dormido y señala al chico de la pared.

—Bonito toque.

Piensa un rato más y, mientras lo hace, miro a mi alrededor. El viejo que trabaja en el estudio de vidrio está sentado en su escalón escribiendo un sms mientras nos mira. Por lo menos sé que no está llamando a los polis.

Leo escribe «Paz» en las nubes. Yo lo veía más bien como mi futuro.

—No está mal —le digo.

Sus manos se mueven por el muro para firmar con mi nombre debajo del suyo.

«Poeta.»

«Sombra.»

Caminamos por calles y callejones, y recortamos por la vieja estación de clasificación de trenes. Busco con la mirada gente trabajando. Me gusta ver cómo sus pensamientos golpean los vagones. Hace que la ciudad sea tanto nuestra como de cualquier otro.

—He visto a Beth hoy —dice Leo—. Me preguntó cómo te iba —añade, tirando piedras a los trenes abandonados—. Sonaba como si quisiera volver contigo.

Me paro, saco un bote de espray, y pinto un típico corazón de tarjeta y una pistola que lo amenaza.

—Rompimos hace meses.

—¿Te importa que salga con ella?

—¿Te importa que dibuje algo en el muro de la casa de tu abuela?

Se ríe y responde:

—Sí, claro. Se ve que lo has superado.

—Me gusta, pero ya está. Hacía una cosa que estaba bien, me daba un beso y se paraba para susurrarme algo tronchante al oído, y después me besaba otra vez. Y yo estaba ahí, gritando: «¿Qué te pasa, tío? ¡Enamórate de ella, gilipollas!».

—¿Y a ella no le parecía raro?

—Por dentro, gritaba por dentro. En fin, no me enamoré de ella, así que supongo que la parte del cerebro que controla el amor no responde cuando la llaman gilipollas.

—Por tu bien, espero que ninguna parte de tu cerebro responda cuando la llamen gilipollas.

—También es verdad.

Ojalá no hubiera pensado en Beth haciendo eso, porque ahora la noto junto a la oreja, noto su cálido aliento, el dulce cosquilleo y su voz, que suena como ese azul que he estado buscando.

—¿Estabas enamorado de Emma? —pregunto.

—Estaba obsesionado a tope —responde sin pensar—. No enamorado.

—¿Qué diferencia hay?

Está a punto de lanzar una piedra a la farola, pero se detiene.

—La cárcel —dice, y se mete la piedra en el bolsillo.

Emma cortó con él hace ya como un año. Después de aquello se volvió más loco que de costumbre. No dejaba de suplicarme que pintara un muro del lateral de la casa de Emma para que ella lo viera y volviera a salir con él. La chica vivía en la parte buena de la ciudad, en una casa adosada de tres plantas. Si pintábamos algo allí, no nos librábamos.

El caso es que no hubo manera de convencer a Leo, así que pinté lo que quería: un chico con la palabra «amor» recortada en su pecho y una chica a su lado con unas tijeras. Emma salió y lo vio, y él se puso de rodillas en medio de la calle para suplicarle que volviera con él.

Ella sacó el móvil y llamó a la poli. Leo no quería irse y yo no quería irme sin él, de modo que diez minutos después estábamos en la parte de atrás de una furgoneta de la policía de camino a que nos tomaran las huellas.

Declaramos, y Leo les contó todo, lo de que lo había plantado, lo de que quería recuperarla. Los polis debieron de pensar que la chica era muy fría, porque llamaron a mi madre y a la abuela de Leo, y nos dejaron marchar con una advertencia y la condición de que limpiáramos el destrozo que habíamos hecho. La abuela de Leo se lo llevó a rastras a su coche; jamás la había oído gritar tanto. Desde entonces, Leo corta el césped de las amigas de su abuela todos los sábados.

Mi madre guardó silencio hasta que llegamos a casa. Nunca me había dicho ni una sola vez que no me juntara con Leo. Nunca se había negado a que durmiera en nuestro sofá cuando aparecía tarde. «Es un buen chico, pero a veces va de incógnito», decía siempre.

Aquella noche paró el motor del coche y se quedó mirando nuestra casa un rato. «Quiero a Leo como si fuera mi hijo, pero tiene que madurar de una vez. Y sería una pena que empezaras a gastarte el dinero en fianzas, con lo mucho que te ha costado ganarlo», dijo antes de cerrar de un portazo. Nada más.

Le conté a Leo lo que me había dicho mientras sudábamos y limpiábamos la pintura. Emma pasó junto a nosotros con sus amigos. «Que le den a madurar», contestó Leo, mirándola hasta que se perdió de vista.

Enciendo la luz y Leo busca comida en el frigo. No hay nada. Le doy al interruptor del aire acondicionado. Nada. Lo golpeo. Leo lo golpea. Está a punto de arrancarlo de la pared, pero sigue sin echar aire.

—Se supone que no debería hacer tanto calor en octubre —digo, de pie delante del congelador abierto.

—¿Y tu madre? —me pregunta.

—En una gran noche mágica del casino. Ha ido a que le adivinen el futuro. Dura toda la noche porque la «magia» siempre ocurre de madrugada.

Leo arquea las cejas.

—No es esa clase de magia —aclaro.

Se apoya en el banco y sus piernas casi llegan al otro extremo de la cocina. No es el tamaño de este sitio lo que me molesta, sino el gris que se abre camino por las paredes y las manchas de la moqueta, procedentes de otra vida que llegó y se fue antes que la nuestra. Bert siempre decía que me dejaría la pintura a buen precio, pero algunos lugares hay que quemarlos y reconstruirlos para que brillen.

—Aquí hace demasiado calor —dice Leo—. Y es mi última noche del último año de instituto. Tendríamos que salir, comer algo y buscar chicas.

Cierro la puerta del congelador.

—Mi fortuna se reduce a quince dólares.

Leo mira el calendario que tengo detrás y el círculo que rodea el día de pago del alquiler.

—¿No ha habido suerte con la búsqueda de trabajo?

—Cero. Ni siquiera me devuelven las llamadas.

—Por la mañana voy a ayudar a Jake, si te interesa. Podemos sacar quinientos pavos cada uno por un trabajo de dos horas, a las tres. Solo tenemos que recoger la furgoneta, cargarla y salir.

—¿Es que eres estúpido? —pregunto.

—Es lo que pone en mis notas.

—No bromees con eso. A tu hermano siempre lo pillan.

Lo pillaban siempre desde que tenía quince años y convenció al tío de un concesionario de coches para que lo dejara llevarse un Jaguar de prueba. Jake es aún más alto que Leo, así que el tío se tragó su permiso de conducir falso. Además, Jake tiene una forma de hablar que hace que la gente crea lo que le cuenta.

Se llevó el Jaguar y, en vez de ir a un lugar donde nadie lo conociera, se dedicó a pasearse por la manzana de al lado de su casa con la música a todo volumen haciendo vibrar las ventanillas. Su abuela lo agarró de una oreja y lo sacó del coche delante de toda la calle.

Leo le da otro golpe al aire acondicionado.

—Debo dinero.

Parece preocupado, lo que me preocupa, porque a él no suele inquietarlo mucho que un equipo de jugadores de fútbol lo ataque en un callejón oscuro. Eso solo deja una opción.

—Dime que no le debes dinero a Malcolm Dove.

Él mira por la ventana a los gatos que maúllan en la valla de atrás.

—Mierda, Leo. Mierda. Ese tío está loco.

—Define «loco».

—Comerse una cucaracha para ganar una apuesta.

—Vale —dice Leo, encogiéndose de hombros—, pues está loco. Razón de más para devolverle el dinero.

Busco una bolsa de patatas fritas en la parte de atrás de la despensa y pienso en lo grave que es la situación. Malcolm es de la misma edad que Jake, más o menos, pero no son amigos. Malcolm no tiene amigos, tiene un grupo de hombres malos que orbita a su alrededor y le hace favores. La única persona que conozco que esté más loca que él es Dave el Loco. Solo tenía que comerse una cucaracha más para vencer a Malcolm en la apuesta, pero se comió cinco para echarse unas risas. «Están saladas», comentó, sonriendo.

—¿Por qué necesitabas quinientos dólares con tanta urgencia? —pregunto—. Te dedicas a cortar césped todos los sábados.

—Sí, bueno, las ancianas pagan en comida más que nada. Y mi abuela necesitaba algunas cosas —explica, dando unos golpecitos en la encimera—. Malcolm irá a por mí esta noche.

—¿Qué retraso llevas?

—Dos meses —responde; aparta la mirada de la ventana y la dirige al suelo.

Por su bien, intento no parecer preocupado.

—Mira, solo tengo que evitarlo hasta las tres y tendré el dinero.

—¿No puedes pedirle un adelanto a Jake?

—No quiero que sepa que le debo pasta a Malcolm.

—¿Ha estado por tu casa?

—No, pero supongo que hará una visita a mi abuela si no consigue que le pague esta noche. Dylan dijo que ayudaría. Nos vamos a reunir con él en el instituto de camino a Barry's. Un solo trabajo y empezaremos el mes en limpio. Tenemos de margen una primera infracción antes de que los polis piensen en meternos en la cárcel.

—Un futuro prometedor.

Miro el calendario y el círculo del día del alquiler. Pienso en mi madre haciendo lúgubres cálculos por la noche, en sus visitas a videntes y su búsqueda de finales felices.

«Mi hijo necesita un trabajo —me había dicho el nuevo propietario de la tienda de pinturas cuando me dio la patada hace seis semanas—. No es nada personal.»

Qué curioso, porque el agente inmobiliario al que debemos dinero se lo está tomando de forma bastante personal.

Leo recibe una llamada de teléfono y yo me pongo a hojear el pequeño bloc de dibujo de Bert. Valerie me lo dio en el funeral, me dijo que Bert habría querido que me lo quedara yo. En nuestras pausas para comer en la tienda, se sentaba y se ponía a dibujar mientras hablaba. Cada dibujo estaba en una página distinta y era casi igual que el anterior. Sus viejas manos se movían mientras charlaba y, al final de la comida, ya había terminado una serie nueva. Yo hojeaba las páginas y lo que hubiera dibujado se movía como si estuviera en la tele. Observo uno que hizo de mí esperando a Leo. Me veo comer sándwiches y hablar con Bert bajo unas nubes que se mueven adelante y atrás.

—¿Y? —me pregunta Leo; ha colgado y está escribiendo algo.

Jamás he sido capaz de tener una letra como la suya. Los domingos después del fútbol, cuando teníamos diez u once años, me agarraba la mano y me la movía por la página hasta que me cabreaba tanto que le rompía el lápiz. Leo se reía y sacaba otro.

—Cuenta conmigo —respondo, y cierro el bloc que trata sobre mí en el almacén con Bert.

Me lo meto en el bolsillo y cierro con llave la casa, aunque aquí no hay nada que robar.

Cruzamos la vía del tren para llegar al instituto. Dibujé este sitio el día que me fui para siempre, a los dieciséis. Edificios rodeados de cercas y un tipo pequeñito atrapado en el alambre de espino. «¿Está intentando entrar o salir?», me preguntó Bert, pero yo tampoco lo tenía muy claro.

Dylan nos está esperando, sentado en un muro que dice, con grandes letras rojas: «Dylan quiere a Daisy». Leo se queda mirando la pintada un rato y comenta:

—O sea, que vamos a robar este sitio después ¿y a ti se te ocurre firmar en la pared? ¿Te has acordado de dejar abierta la ventana del edificio de audiovisuales esta tarde?

—Claro que sí.

—¿Vamos a robar en audiovisuales? —pregunto—. Qué mal.

—¿Y a ti qué te importa? Te echaron —dice Dylan.

—Cierra la boca —interviene Leo—. Ed se fue porque quiso.

Entonces empiezan a discutir sobre si los grafitis son pruebas admisibles ante un tribunal o no.

Observo a Leo chillar y sudar, y se me ocurre una obra que podría pintar, un tío con la espalda contra la pared rodeado de signos de dólar que están a punto de matarlo a golpes. A los polis no les importará cómo hemos llegado Leo, Dylan y yo a esto; lo único que les importará es que vamos a llenar la furgoneta de cosas que no son nuestras.

Mientras gritan, pulverizo con espray cada centímetro del muro para que no haya nada que diga que he estado aquí. Oigo una sirena no muy lejos.

—Tengo un mal presentimiento —les advierto, pero mi voz se pierde en la amalgama de la ciudad.

Poeta

Primer ejercicio
Poesía 101
Alumno: Leopold Green Donde vivía

Donde vivía

Antes vivía con mis padres
en una casa que olía a tabaco
y sabía a cerveza si tocabas algo.
La mesa de la cocina era un océano amargo
que se me pegaba a los dedos.

Había tres puertas entre la pelea y yo,
y por la noche las cerraba todas,
me tumbaba y ahogaba los sonidos.

Me imaginaba
flotando,
años luz de silencio

interrumpidos por el aliento
y nada más.

Vagaba por el espacio
y caía entre los sueños
sobre cielos oscuros.

Algunas noches,
mi hermano Jake y yo huíamos por la ventana
y cruzábamos el parque
para colgarnos un rato de las barras
de camino a casa de la abuela.

Ella nos esperaba,
en camisón y zapatillas,
en busca de nuestras sombras.

Nos leía
poesías y cuentos
en los que las espadas mataban dragones,
y Jake nunca decía que fueran una mierda,
como cabría esperar de él.

Entonces, una noche,
la abuela dejó de leer antes del final feliz
y preguntó:
«Leopold, Jake, ¿queréis vivir
en mi cuarto vacío?».

Su voz
sonaba a espacio y cielos oscuros,
pero aquella noche todos mis sueños
tuvieron suelo.

Lucy

Voy al muro. Un pájaro amarillo está tumbado patas arriba bajo un cielo azul, y han pintado la palabra «Paz» con gordas letras que cruzan las nubes.

—Supongo que es tarde para dar una oportunidad a la paz —dice Al, en plan John Lennon—. Parece muerto.

—Qué va, está dormido.

La mayoría de las veces, cuando miro el trabajo de Sombra y Poeta, veo algo distinto de lo que me cuentan las palabras. Me gusta eso en el arte, que lo que veas a veces tenga más que ver con lo que eres que con lo que hay en la pared. Observo el dibujo y pienso en que todos tenemos algún secreto dentro, algo dormido, como ese pájaro amarillo.

Lo miro y noto una sensación, un cosquilleo eléctrico. Ese cosquilleo no tiene nada que ver con el sexo, como dice mi mejor amiga, Jazz. Vale, en honor a la verdad, puede que sí tenga un poco que ver con el sexo, aunque, sobre todo, tiene que ver con saber que hay un tío ahí fuera que no se parece en nada a los demás tíos de ahí fuera.

—Necesito más detalles —digo sin apartar la vista del muro.

—Ya te lo dije: Sombra pinta y Poeta escribe.

—¿Los has visto mejor esta vez?

—Igual que la última. Son jóvenes y van desaliñados —responde Al—. Más o menos de tu edad.

—¿Monos?

—Soy un hombre de sesenta años. No sabría decirte.

—¿Por dónde se han ido?

—Mi calle no tiene salida, Lucy. Se fueron en la única dirección posible.

Me acerco y me siento a su lado. Me concentro todo lo que puedo.

—¿Qué haces? —pregunta.

—Intento retorcer las leyes del tiempo para llegar aquí cinco minutos antes.

Él asiente y contemplamos cómo flota por el cielo la seda sucia del humo de la fábrica.

—¿Hay suerte? —me pregunta al cabo de un rato.

—Pues no. No consigo volver al pasado.

—Lo verás —responde él, sonriendo—, es cuestión de tiempo. Sombra viene a trabajar bastante desde que declararon legal este sitio. Y hoy has terminado el instituto, ¿te vas de marcha con Jazz?

—Hemos quedado en Barry's sobre las nueve y media.

—Qué tarde.

—Jazz quiere una aventura nocturna completa.

—¿Tienes tiempo para ayudarme con una pieza antes de irte? —me pregunta; yo asiento y lo sigo al interior.

Soy adicta a este lugar, al calor que sale del horno, al dolor de músculos que produce ayudar a soplar vidrio. Me duele el peso de la pieza que está en el extremo de la barra. Me duele pensar que de un lugar tan feo como este, un sitio de óxido, sudor y acero, puede surgir algo tan reluciente como el amor.

Tengo que dar gracias a la señora J, mi profesora de Arte, por presentarme a Al. Hace dos cursos, la señora J nos llevó de excursión al estudio, nos colocó detrás de una valla de seguridad metálica, y vimos a Al y a otro tipo hacer girar el cristal, calentarlo en un horno y volver a hacerlo girar. El calor me abrasaba, pero era como si me saliera de dentro. Nunca jamás había sentido tantas ganas de hacer algo.

Al ofreció un curso de soplado de vidrio gratis de seis semanas a uno de los estudiantes de la señora J, y ella me lo dio a mí. Cuando terminé el curso, Al dijo que seguiría dándome clases. Para pagar la mitad de los costes le limpiaba el estudio todas las semanas. Mis padres pagaban la otra mitad. Llevo limpiando y aprendiendo desde entonces. Ayer, gracias a Al, terminé mi muestra de trabajos de arte de último curso.

—Concéntrate —me dice, y usa periódico mojado para girar y dar forma a la masa reluciente.

Asiente, y yo soplo por la boquilla y cubro la abertura con el pulgar para atrapar el aire; el jarrón se infla con mi aliento. Al utiliza el periódico para girar y seguir dando forma. El papel se calienta y se quema, llenando el aire de estrellas.

Su vieja mano se mueve con suavidad, como el agua, para quitar el cristal del extremo sin romperlo. Después de ponerlo en la cámara de recocido para que se enfríe, Al dice:

—Bueno, creo que estás lista para un ascenso. He pensado que podrías seguir trabajando aquí mientras estés en la uni, y yo te pagaría en metálico en vez de con clases. Nada de limpieza, solo vidrio.

—¿En serio? ¿Sería tu ayudante?

—Trabajarías con Jack y Liz. ¿Te interesa?

Al es uno de los mejores artistas del vidrio de la ciudad. Me pongo a asentir con tanta energía que parece que se me va a caer la cabeza.

—Bien, bien —dice él.

Nos sentamos fuera un rato más; todavía no pierdo la esperanza de que Sombra regrese. Tengo una sensación muy fuerte cuando fantaseo con él. No estoy despierta, aunque tampoco dormida; estoy en un pasillo azul claro que une las dos cosas.

—¿Cómo va por casa? —me pregunta Al.

—Bien. Mejor. Mi padre sigue en el cobertizo, pero ahora entra más en casa, y no solo para ir al baño. Creo que volverá pronto a su dormitorio, de verdad.

—Qué buena noticia.

—Sí. Se suponía que era un traslado temporal. Y ahora ya no se pelean, así que, ya sabes...

Miro el pájaro dormido y me imagino a Sombra doblando el brazo y derramando amarillo sobre gris. Derramando sol.

Entonces, de repente, dejaron de pelearse. Un día volví a casa del instituto y noté cómo flotaba el silencio por nuestra calle. Cuando entré en el patio, mi padre estaba de pie delante del cobertizo bebiendo limonada mientras preparaba salchichas y puré de patatas deshidratado en un pequeño hornillo de *camping*.

—¿Qué haces? —le pregunté.

—Me voy a mudar al cobertizo durante un tiempo. Hasta que tu madre termine su novela y yo escriba mi siguiente espectáculo —me explicó, agitando las pinzas de la barbacoa—. ¿Quieres comer en mi casa?

—Tu casa es mi casa, papá —respondí al sentarme a su lado mientras él cocinaba e intentaba aclararse las ideas.

Ya sé que habían estado peleándose, pero mis padres llevaban juntos treinta años. Mi padre no paraba de hablar de lo romántico que fue su primer encuentro en la cafetería de la universidad. Le pidió su sal a mi madre, y ella le pidió su azúcar.

—Un amor así no puede acabar en puré de patatas deshidratado —le dije a mi madre.

—Lucy, si eres capaz de volver a hidratar el amor, es que tienes suerte —respondió ella.

Aquello no me sirvió de consuelo.

Mi madre cenó con nosotros aquella noche, cuando llegó a casa, cosa que me desconcertó aún más. No se pelearon. Mi madre le dijo a mi padre que las patatas estaban deliciosas.

—No me mires así —me pidió—. Tu padre y yo necesitamos espacio para escribir. No puedo pasarme el resto de mi vida succionando saliva, y lo mismo te digo de tu padre y el taxi.

Eso lo entendí. Mis padres no son lo que se dice típicos. Mi madre tiene una foto de Orson Welles en la pared y lleva una camiseta a las reuniones con los profesores en la que se lee: «Si no quieres una generación de robots, financia el arte». Mi padre sabe sacarse flores de las orejas y hacer malabares con fuego.

Sin embargo, siempre habían sido muy típicos en lo del amor y el matrimonio. Mi padre lleva ya unos seis meses fuera de casa, aunque nos visita mucho. Eso sí, vive en el cobertizo. Parecen felices, pero, en mi opinión, es todo muy raro.

«¿Y quién decide lo que es raro y lo que no?», me pregunta mi madre siempre que saco el tema. «Pues yo. Lo decido yo», respondo.

Ella pone los ojos en blanco.

Me acerco con la bici al muro antes de irme del estudio de Al. Toco la pintura y un trocito de despejado cielo azul se me pega en las manos. No me había dado cuenta antes, pero en la esquina hay un crío con cara de desconcierto mirando el pájaro.

—Hay un crío, ¿lo has visto? —grito.

—Lo he visto —responde Al.

Me despido con la mano y empujo mi bici colina arriba. Jazz me llama cuando voy por la mitad de la cuesta.

—Daisy y yo ya hemos llegado, ¿estás muy lejos?

—Estoy cerca. Me he desviado porque Sombra y Poeta han pasado por donde Al.

—¿Los has visto?

—Llegué cinco minutos tarde, pero tengo más pruebas todavía de que Sombra existe y es de mi edad.

Sé exactamente lo que me va a responder.

—Luce, su arte mola mucho y no te digo que no te lo montes con él si te lo encuentras, pero, mientras tanto, podría decirte como mínimo un tío y medio a los que les gustaría salir contigo.

Vale, sabía casi exactamente lo que me iba a responder.

—¿Uno... y medio? ¿Es que alguien se ha quedado pillado en la puerta de un autobús?

—Simon Mattskey podría estar interesado, pero le preocupa lo de la nariz. Le dije que era una leyenda urbana.

—Voy a colgar.

—Oye, recuerda que las pinturas también probaron que existían los cavernícolas. A lo mejor Sombra no es el tío que esperas.

Cuelgo y camino sin prisa. Jazz cree que no he tenido suficiente acción en el terreno de los chicos, pero sí que la he tenido con otros chicos de por aquí, y por eso sé que no quiero volver a pasar por eso. Lo de la nariz fue antes de que Jazz llegara a nuestro instituto. No ha oído la historia real porque, cuando ella llegó, todo se había liado, se había inflado como un globo y después se había medio olvidado, y yo prefería que siguiera así.

El tío era un *alien*; llamaban así a los chicos que se saltaban las clases, porque se pasaban todo el tiempo por las naves de atrás. Cada vez que me miraba era como tocar con la lengua la punta de una pila. En la clase de Arte lo veía echarse atrás en la silla y escuchar, y yo era todo chispas y cosquilleo. Al cabo de un rato, el cosquilleo se convertía en electricidad y, cuando me pidió salir, todo el cuerpo se me amplificó hasta tal punto que, técnicamente, debería haber muerto. No tenía nada en común con un *alien* como él, pero las chicas no pensamos con claridad cuando estamos a punto de morir electrocutadas.

Me gustaba que se dejara crecer el pelo sin un plan aparente; que tuviera una sonrisa que surgiera sin más y se escondiera de la misma forma; que fuera tan alto que tuviera que levantar la cabeza para mirarlo en mis ensoñaciones. Me gustaban un montón sus camisetas. El día que dijo de salir, él llevaba una camiseta con un perro que sacaba a pasear a un hombre, correa incluida. Y a su alrededor siempre había como un espacio. Para entrar en aquel espacio merecía la pena hacer cola. Vi a otras chicas intentarlo, pero no pasaban del gorila de la puerta.

En fin, que la noche no fue demasiado bien porque le rompí la nariz, accidente que tuvo lugar cuando le di un golpe en la cara después de que me tocara el culo.

Mi padre todavía vivía en la casa y, antes de salir a la cita, le dije todas las cosas sobre las que esperaba hablar con aquel chico.

—Puede que de *Matar a un ruiseñor*, que es el libro que estamos estudiando en clase. O de Rothko, el pintor que nos enseñó la señora J.

—Suena romántico —respondió mi padre—. Tu madre y yo tuvimos una primera cita muy romántica. Ella estudiaba ficción seria y yo comedia, así que fuimos a una película de Woody Allen, que era algo intermedio. No recuerdo la película, pero sí que tu madre olía a té verde dulce.

Tenía la historia metida en la cabeza cuando llegué a mi cita en Barry's, la cafetería abierta toda la noche en la que quedan los *aliens*. Sin embargo, no hubo ninguna conversación intensa. Nos sentamos en medio de un vacío de sonido que solo podrían entender los astronautas; después, fuimos al cine. Mientras caminábamos, saqué el tema de *Matar a un ruiseñor* y pasamos a un nivel de silencio que incluso sobrepasaba el silencio que habíamos guardado antes. Entonces me agarró el culo.

—¡Mierda! —gritó cuando le di un codazo en la cara—. Mierda, creo que me has roto la nariz.

—No deberías haberme tocado el culo. Eso no se hace en la primera cita. Atticus Finch no lo habría hecho jamás.

—¿Sales conmigo y ya tienes novio? —me chilló.

—¡No!

—¿Y quién es Atticus Finch?

—Sale en el libro que estamos leyendo en clase.

—¿Me estás hablando de libros? ¿Mientras yo me desangro en la calle? Mierda. ¡Mierda!

—Deja de decir eso.

Era una estupidez hablarle de libros, sobre todo teniendo en cuenta que era culpa mía que se le hubiera manchado la camiseta de sangre, pero todo iba justo al contrario de lo que había planeado y no podía soportar ver sangre; estaba tan decepcionada de que hubiera resultado ser un tocaculos que corrí y no miré atrás.

Mi madre me echó un vistazo cuando llegué a casa y dijo:

—Deprisa, al fregadero de atrás.

Me apartó el pelo mientras vomitaba con tanta energía que casi me vuelvo del revés. No le conté lo que me había hecho; le dije que él no era como yo creía. Ella me acarició el pelo y respondió:

—A veces no lo son. A veces te hacen vomitar.

Aquello no me sirvió de consuelo.

Sin embargo, Sombra no me hará vomitar. Estoy muy segura. Será un tío que hable de arte, no un *tocaculos*. Y, como dice mi padre, merece la pena esperar si la recompensa es el amor y el romanticismo.

Llego a lo alto de la colina, me subo en la bici y me dejo caer. Las luces de la ciudad se reflejan y rebotan, y vuelo por mi suave pasillo pensando en Sombra. Pensando que está en algún lugar de la vidriosa oscuridad. Pintando colores. Pintando pájaros y cielos azules en la noche.

Le pongo el candado a la bici y entro en Barry's. No vengo mucho por aquí, ya que es el lugar de la escena del crimen de mi primera cita. Jazz y yo solemos estar por la cafetería de Kent Street. Ella trabaja allí todos los sábados leyendo la buenaventura.

Jazz jura que es vidente, y yo diría que es una estupidez si no fuera porque sus predicciones tienden a cumplirse. Predijo que yo sería alérgica al zumo de guayaba, producto que nunca había probado. Me bebí un litro entero en nombre de la investigación científica y mi padre me estuvo llamando Cara Gorda durante varias semanas.

Cuando llego, está sentada en la mesa de atrás, vestida para matar y lamiendo un chupa-chups. Mi madre siempre deja horrorosas fotos de dentista por todas partes cuando Jazz va a casa de visita. «Hace falta algo más fuerte para sorprenderme, señora Dervish —le dice Jazz—. Veo el futuro y sé que a mis dientes no les pasará nada.» Mi madre se limita a poner los ojos en blanco.

Lleva el largo pelo oscuro lleno de trencitas y flores, y se ha puesto un vestido rosa y unas botas alucinantes que se compró en una tienda de segunda mano de Delaney Street. En la etiqueta ponía quince dólares, pero las sacó por diez.

A su lado, Daisy va todavía más *sexy*, con un vestido sin mangas negro y unas sandalias de seda verde. El conjunto va a juego con sus ojos, que son mares invernales azotados por el negro de unas pestañas que resaltan aún más porque tiene el pelo corto y rubio. Es la clase de chica a la que todos miran. Es la clase de chica a la que le gusta que la miren.

Observo mi reflejo: parece que he dormido con la camiseta de Magic Dirt y los vaqueros desgastados que llevo puestos. Ahora que lo pienso, quizá lo hice. Me recojo el pelo y me meto un par de pinceles en el improvisado moño para sujetarlo y apartármelo de la cara.

Me siento en el banco.

—Llegáis tarde —digo.

Jazz me apunta con su chupa-chups y me mira con cara seria. Yo robo una patata.

—Vale, llego tarde —reconozco—, pero si el plan es pasar toda la noche fuera, ¿qué prisa tenéis?

—Jazz tiene un presentimiento —dice Daisy—. Los próximos chicos que entren por la puerta son con los que vamos a ligar.

—¿Habéis visto a los chicos que viven por aquí?

—Lucy tiene razón —responde Daisy—, algunos es mejor no verlos.

Daisy conoce a los habituales porque es una *alien* y viene mucho por aquí. Jazz y yo empezamos a salir con ella hace como un mes, cuando nos pusieron juntas en un grupo de Lengua. Siempre me había caído bien; el tema era que nos movíamos en ambientes distintos e íbamos a sitios distintos.

Invitarla esta noche fue una decisión improvisada. Jazz, ella y yo nos habíamos metido detrás de un arbusto esta tarde para escondernos de su novio, Dylan, y de sus amigos, que iban tirando huevos a todo el mundo para celebrar el fin del instituto.

—Hay que resucitar el romanticismo de inmediato —dijo Daisy mientras le caía una yema por la cara; nos miró a Jazz y a mí, todas cubiertas de huevo—. Siento mucho que mi novio sea un idiota. Voy a romper con él esta noche, lo juro. Mañana. Si lo hago antes, no tendré a nadie con quien salir la última noche del último año.

—Sal con nosotras —repuso Jazz.

A Daisy le dio otro huevo en la cara, así que no hizo falta seguir convenciéndola.

—¿De verdad vas a romper con Dylan? —le pregunto mientras ella mira hacia la puerta—. Lleváis juntos dos años.

—Te lo juro. No sé por qué llevo tanto tiempo con él. Demasiado para echarle la culpa a la locura transitoria.

—Lucy está esperando al amor —dice Jazz, como si yo fuera la que sufre locura transitoria—. Yo me conformo con la acción. Tengo una última noche antes de que mis padres vuelvan de las vacaciones. Después tendré que estudiar sin parar hasta los exámenes. No quiero que mi diario de este año sea todo en plan: «Vi la tele, vi la tele, me pasé el hilo dental, di un beso de buenas noches a mis padres, vi en secreto la tele otro rato». Mañana pienso escribir: «Pasé fuera toda la noche. Besé a alguien».

Jazz se enteró la semana pasada de que tiene una audición para entrar en la Facultad de Humanidades. Estoy bastante segura de que no necesita el curso de teatro que quiere hacer.

—Besé a alguien —le digo—. No a cualquiera.

—Vale, besé a alguien mono. Como ese —dice, señalando la puerta.

—Ni de coña —respondemos Daisy y yo a la vez.

—Es perfecto —insiste Jazz, mirándose en la ventana—. Leo Green está en mi clase de Lengua. Me gusta cómo escribe. No sé quién es el chico que va con él.

Daisy sonríe y me mira.

—Es Ed Skye. Lucy, ¿te acuerdas de él?

—Vagamente.

—Está bueno —dice Jazz—. Perfecto para ti.

Daisy deja de sonreír y se queja:

—Eso me deja con Dylan. No quiero a Dylan.

—Encontraremos a alguien para ti por el camino —le responde Jazz—. ¿Listas?

—No —protestamos Daisy y yo a la vez.

—Bien. Vamos para allá y a ver cómo se desenvuelve el tema.

—Me gustaría mucho seguir envuelta esta noche —respondo.

—No es una opción —dice Jazz, y nos pasa un par de chicles a Daisy y a mí; yo ya sabía que no lo era.

Algunas cosas tardan una eternidad, como esperar al autobús cuando llueve; o hacerse la cera después del invierno; o hacer cola para comprar entradas para un concierto; o esperar a que se haga el café por la mañana. Sin embargo, acercarnos a los chicos no fue una de esas cosas.

Parpadeo y ya estoy allí, mirando más allá de sus caras, a través de la ventana, al puente. Las luces del puente envían mensajitos de advertencia: pasa de largo de la mesa, corre, ve al estudio de Al y espera en los escalones a que vuelva Sombra.

—Hola —dice Jazz, de pie al lado de la mesa.

Leo levanta la mirada y sonríe.

—Hola.

—Hola —dice también Dylan.

—Cierra la boca —responde Daisy, y nos presenta—. Ed, esta es Jazz Parker. Una advertencia: es vidente, así que cuidado con los malos pensamientos. Ya conoces a Lucy. Leo, ya conoces a Jazz y a Lucy. Jazz y Lucy, ya conocéis a Dylan. Es el idiota que nos tiró huevos esta tarde.

Ed me mira como si deseara verme desaparecer, y, si pudiera, le concedería el deseo; me convertiría en humo y saldría volando. Quiero sentarme al otro lado de la mesa para que no piense que estoy interesada en él, pero no hay sitio, así que me siento en el mismo banco, aunque lo más lejos posible, e intento tener una experiencia extracorpórea.

Lo intento, lo intento. No, no hay suerte. No consigo la proyección astral. Esto no podría ser más incómodo ni queriendo.

—¿Quieres tomar el aire? —le pregunta Leo a Jazz, y salen a la calle.

Daisy los sigue, y Dylan sigue a Daisy. Vale, sí que podía ser más incómodo.

No pienses en Ed, piensa en Sombra. Piensa en conocerlo. Piensa en lo que dirás cuando lo tengas delante. Piensa en llevarlo al estudio de Al para enseñarle relucientes vidrios rosa que arden bajo la luz. Piensa en cómo la noche se convertirá en día, en que Sombra no desaparecerá y tú seguirás allí, no desapareciendo con él.

Miro a Ed. Está mirando por la ventana y haciéndole un gesto a Leo, puño cerrado y pulgar hacia abajo. Espero hasta que me mira para hacerle los cuernos. Él me hace los cuernos. Le enseño el dedo corazón. Él me enseña el suyo. No me sé más gestos, así que me invento uno: tres dedos. Chúpate esa, chaval. Él me saca cuatro. Acepto tus cuatro y subo a cinco. Él pasa directo a los diez y hace algo con el pulgar que me perturba. Recuerdo un gesto que vi una vez en la tele y bajo las manos rápidamente para hacerlas rebotar en mi regazo. Ed hace lo mismo.

—Bien —comenta Jazz cuando vuelve a la mesa—. Estáis hablando.

—No puedo creerme que sigas tan enfadada conmigo —dice Ed.

—Me agarraste el culo.

—Me rompiste la nariz.

—¿Le rompiste la nariz... a él? —pregunta Jazz—. ¿Y tú le agarraste el culo... a ella?

—Tenía quince años, fue sin querer, y ella me rompió la nariz.

—Rebobina, ¿cómo le puedes agarrar el culo a alguien sin querer? —pregunta Jazz.

—Quiero decir que me equivoqué. Me equivoqué y ella me rompió la nariz.

—Tienes suerte de que no te rompiera nada más.

—Tienes suerte de que no llamara a la policía.

Leo, Dylan y Daisy se sientan.

—¿Sabíais que Lucy le rompió la nariz a Ed? —pregunta Jazz.

Ed cierra los ojos y empieza a golpearse la cabeza contra la pared sin decir nada.

—Lo llevé al hospital —responde Leo, sonriendo—. Tuvo que esperar cinco horas con uno de esos camisones que te dejan el culo al aire.

Vale, si alguien dice otra vez la palabra «culo», voy a levitar para huir de la humillación.

—No puedo creerme que te tocara el culo —dice Jazz.

Me concentro con ganas. No, nada. No levito.

—Necesito ir al servicio —respondo, agarrando a Jazz por el hombro—. Y me parece que tú también.

—¿Y yo? —pregunta Daisy, sonriendo.

—Claro —contesto—, servicio para todos. —Leo sonríe y se levanta—. No, para ti no.

—Ten cuidado —le dice Ed—. No es buena idea cabrearla.

Los oigo reírse hasta que se cierra la puerta del baño. Antes de que se cierre, me aseguro de menear el culo un poco. Chúpate esa, chaval: seguro que ahora tú también quieres huir levitando.

Ed

—Está meneando el culo a posta —dice Leo, riéndose—. Me gusta.

Me río con él hasta que se cierra la puerta del baño y entonces paro.

—A mí no me gusta, me voy a casa.

—Ni de coña —responde Leo—. Quiero pasar un rato con la señorita Jazz y ella quiere a alguien para Lucy.

—No soy alguien para Lucy.

—Jazz cree que sí.

—Jazz cree que es vidente. Jazz alucina.

—Daisy no se quedará si no están las dos —dice Dylan—. Está cabreada porque le lancé huevos a la cabeza esta tarde.

Los tres pensamos en ello durante un segundo.

—Fue estúpido lanzarle huevos a la cabeza —añade Dylan.

—Las flores funcionan mejor —responde Leo, y se vuelve hacia mí—. Mira, tenemos que matar el tiempo hasta el trabajo y ahí hay tres chicas guays en busca de aventuras. ¿Dónde está el problema?

—La última aventura que tuve con ella acabó en el hospital, ese es el problema.

—Pues no vuelvas a tocarle el culo.

—Intentaré recordarlo.

Mi primera obra fue para ella: una chica con carreteras, ríos y desiertos recorriéndole la piel. Autopistas en el cuello que cruzaban el país entero. A un lado había un chico con la capota del coche levantada y el motor echando humo.

Lo pinté en plena noche, con una cinta blanca tapándome la nariz y dos moratones en los ojos. Ni siquiera me molesté en volver la vista atrás por si venían los polis. «Deténganme —pensaba decirles si aparecían—. Venga, vamos, deténganme.»

No apareció ningún poli y yo me quedé allí hasta que el sol enturbió la oscuridad. Ni siquiera fue un buen amanecer. El humo de las fábricas se tragó el color antes de que tuviera una oportunidad y todo el cielo estaba lleno de blanco de nubes.

Tardé varias semanas en reunir el valor suficiente para pedirle una cita. Había estado acechando su taquilla, acechándola a ella antes de clase, en el almuerzo y después de clase. Incluso la busqué en Google. Encontré una foto de la página web del instituto, de cuando habíamos ido a la National Gallery el año anterior. Ella estaba mirando un cuadro de Rothko y yo era un triste puntito al fondo, observándola. Había estado echándole un vistazo a los cuadros de Vermeer y, cuando volví la esquina, allí estaba ella, todo perlas, todo ojos, todo piel, todo boca.

También la observaba en el instituto. Mientras ella dibujaba personas enredadas, yo soñaba en nosotros dos enredados así. No dejaba de soñar con la peca que tenía en el cuello, un país diminuto. Quería visitarlo, pintar lo que encontrara allí, llenar una pared con el mapa de carreteras de su piel.

La señora J nos puso juntos para un trabajo de investigación sobre Jeffrey Smart, y yo estaba mirando la peca cuando ella levantó la mirada y me pilló haciendo planes de viaje.

—¿Qué? —me preguntó.

—Nada —respondí—. Es que... estaba pensando que deberíamos ir a ver una peli.

Ella se puso a dar golpecitos en la mesa con su boli, mi sangre me daba golpecitos en las venas, y yo estaba desesperado, nada tranquilo, haciendo planes para mudarme a un país muy lejos del mapa. Entonces ella dijo que sí, el pecho me reventó y fui por ahí con un agujero en el cuerpo toda la semana. Pensaba que no llegaría vivo al viernes. Que pasaría algo antes que acabaría con mi suerte, algo como una bomba nuclear que estallaría y nos dejaría sin ningún sitio donde quedar.

«Qué dura», comentó Leo cuando lo llamé para que me recogiera porque una chica me había dejado tirado en la cuneta con la nariz rota.

Lucy ni siquiera llamó para asegurarse de que no me había matado. Una cita así hace que desees que hubiera estallado la bomba. Justo encima de tu casa.

—¿De qué creéis que están hablando? —pregunta Dylan, mirando al servicio.

—Pues me atrevería a decir que de nosotros —responde Leo, retrepándose—. Chicas y dinero. Tengo un buen presentimiento —añade, y mira atrás por quincuagésima vez esta noche.

Dylan y él hablan, ríen y actúan como si no les importara que quizá nos pillen más tarde, en el instituto. Miro por la ventana y pienso en el cielo del bloc de Bert, en que las nubes parecen moverse, pero no se mueven. Son las mismas repitiéndose una y otra, y otra vez.

Lucy

Es un tema serio, así que Jazz y yo nos metemos en el mismo cubículo. Daisy se mete también, apretujándonos.

—¿Esto es como el cono del silencio? —pregunta después de que Jazz cierre la puerta.

—Es más bien como el cubículo de la verdad —responde Jazz.

Jazz y yo nos conocimos así cuando ya llevábamos unos meses del curso, hace un par de años. Yo estaba a punto de cerrar la puerta del váter cuando ella la abrió de un empujón, la cerró de golpe, me tapó la boca y siseó:

—Chisss.

Escuchamos a Holly Dover y Heather Davidson entrar en el servicio y chillar el nombre de Jazz.

—No está aquí —dijo Holly al ver que no respondía nadie—. Vamos a mirar en la biblioteca.

—Me ha costado despegármelas de encima —explicó Jazz cuando se fueron—. Llevan siguiéndome desde el comedor.

—Las llamamos las HD —respondí—. Ya sabes, por esa voz chillona y envolvente en alta definición.

—Tenía el presentimiento de que no quería ser su amiga incluso antes de que abrieran la boca. Soy una vidente —me dijo ella, y me miró mientras yo miraba la puerta con aire nervioso—. Una vidente, no una demente. Me llamo Jazz Parker.

—Lucy Dervish.

Somos amigas desde ese mismo instante. Antes de ella había tenido todo tipo de amigos distintos. Me gusta conocer a gente de grupos diferentes. Algunos días me sentaba con los chicos de mi club de lectura, otros con los artistas. A veces jugaba al ajedrez y otras veces me pintaba las uñas de negro.

De todos modos, al final me adapté fácilmente a tener una mejor amiga. Jazz es una de esas personas que se invita sola a todas partes y no sigue las reglas de la geografía del instituto. Le gusta el ajedrez, lo sobrenatural, el teatro, Shakespeare y los deportes. Una vez dijo a las HD que era ecléctica, y me di cuenta de que ellas intentaban averiguar dónde encajarla.

Esta noche me mira dentro del cubículo de la verdad.

—¿Por qué nos has mentido?

—No he mentido.

—Estamos ahí, hablando de Ed, y no dices que es el tío de la nariz rota. Eso es mentir, ¿no? —pregunta a Daisy.

—Es ocultar la verdad —media Daisy.

—Vale, ¿por qué has ocultado la verdad?

—Eres vidente, supuse que ya lo sabrías —respondí.

Me regaña con el dedo.

—No te vas a librar con bromitas.

—Me sentía estúpida, sabía que lo mencionarías en cuanto nos acercáramos, sabía que si pensabas que antes me gustaba Ed me pincharías para que me gustara otra vez ¡y no me gusta!

—Pero es muy mono y es amigo de Leo —responde ella, bajando la voz—. Luce, cuando estábamos hablando en la calle, el brazo de Leo rozó el mío. Me dio un chispazo de electricidad estática... ahí abajo.

No pude evitar reírme.

—Pues sal con él y cuéntamelo mañana.

—Quiero contártelo mientras pasa.

—Seguro que le parece raro —comento.

—Quiero que tú también notes electricidad estática.

—Arrastraré los pies por la moqueta cuando llegue a casa, te lo juro.

—Recuerdo lo de la electricidad estática —dice Daisy—. Dylan y yo la teníamos. Ahora ni siquiera quiere ir conmigo a Queensland en plan viaje de fin de curso. Se pasa todo el año trabajando para ahorrar el dinero, y después va y se lo gasta en una Wii. ¿No quieres electricidad estática? —me pregunta.

—Claro que sí, pero no con ellos —respondo, señalando con la cabeza hacia la cafetería—. Quiero a alguien como Sombra —digo, aunque no quiero a alguien como él, sino a él—. Quiero a Sombra.

—Quieres a alguien que casi seguro que no vas a conocer —protesta Jazz.

—Dylan lo conoce —dice Daisy—. A él y a Poeta.

Llevo años persiguiendo a Sombra y sé que los críos están todo el rato inventándose cosas sobre él: que está muerto, que está en el extranjero, que estudia Bellas Artes... Por lo que sé, nada es cierto.

—Quieres decir que Dylan conoce a alguien que conoce a alguien que quizá los conozca.

—No, que los conoce de verdad. Siempre está en plan: «Fui allí con ellos y ellos fueron allí conmigo». A mí me suena a que ellos lo ven más que yo. Es como si creyera que eso lo hace más guay —dice, y después se queda pensando un momento—. Supongo que sí que lo hace más guay.

Agarro a Jazz por los hombros mientras las tripas me hacen cosas raras.

—Voy con ellos esta noche si los buscamos. Podemos ir a los sitios en donde Dylan crea que pueden estar. Tú tienes tu noche de acción con Leo, y yo me quedo con Sombra y el amor.

—Suena como los libros que lee mi tía Glenda —responde Jazz.

—Por fa, por fa, por fa.

—No me importaría quedarme con Poeta —interviene Daisy—. Escribe cosas muy chulas.

—Por fa —insisto.

—Vale —responde Jazz con una sonrisa—. Vamos a cazar sombras —añade mientras intenta abrir la puerta, que se ha atascado—. Qué raro.

—¿Es un mal presagio o algo? —pregunta Daisy.

Jazz se baja la cremallera de la bota, se la quita y golpea el pestillo con ella.

—No es un mal presagio. —Pum—. Esta noche. —Pum—. Va a ser genial. —Pum—. Tengo un presentimiento. —Pum. Se vuelve a poner la bota y nos mira—. Vale, tenemos que trepar.

Se sube al asiento del váter y pasa por encima de la puerta. La oímos golpearse contra el suelo. Daisy hace una mueca.

—¡Esto no quiere decir nada! —grita Jazz—. Confiad en mí. Soy vidente.

Salgo del servicio y lo primero que veo es a Ed. Vale, sé que era pedir demasiado, pero medio esperaba que hubiera dejado de existir mientras estábamos en el baño. Noto un leve cosquilleo cuando se vuelve, aunque lo achaco a la caída al escapar del retrete. A eso y a la idea de encontrar a Sombra.

No lo miro mientras me siento a su lado en el banco. No estoy aquí por Ed, estoy aquí por mi joven y desaliñado artista.

—Lucy y Daisy quieren encontrar a Sombra y a Poeta —dice Jazz.

—¿A quiénes? —pregunta Ed.

—Grafiteros —le explico—. Hacen pintadas por toda la ciudad.

—Se llaman escritores —dice Dylan.

—Como se llamen —responde Daisy—. Queremos conocerlos.

—Yo quiero encontrar a Sombra, básicamente —digo.

—Podemos hacerlo —responde Leo, sonriendo—. Es una gran idea.

—No, es una idea estúpida —protesta Ed—. Es la idea más estúpida que he oído. Para empezar, ¿cómo vamos a saber dónde buscarlos?

—Daisy dice que Dylan los conoce —le responde Jazz.

—¿Ah, sí? —dice Ed, mirando a Dylan, que parece a punto de salir echando leches.

—¿Me mentiste? —pregunta Daisy—. Típico.

—No te mentí. Los veo mucho.

—Pruébalo —lo reta ella—. Llévanos a los sitios por donde salen y, si los encontramos, nos los presentas.

—Puede hacerlo, ¿a que sí, Dylan? —dice Leo.

Contengo el aliento. Cruzo todo lo que puedo cruzar por dentro: pulmones, riñones, ventrículos, el conjunto completo. Por favor, que Dylan no mienta. Hasta un idiota se daría cuenta de que está pasando algo entre los tres, pero supongo que es porque Ed preferiría dejar de existir antes que salir por ahí conmigo.

Me imagino el aspecto de Sombra: ropa manchada de pintura, una cara bajo la que se ve pasar un millón de ideas. Me lo imagino tocándome y notando la electricidad sin tener que arrastrar los pies por la moqueta. Por favor, por favor, por favor.

—Vale —dice Dylan lentamente—. De acuerdo.

—Ahora soy yo el que tiene que ir al servicio —dice Ed, mirando a Leo y a Dylan—. Y tengo la sensación de que vosotros también.

—Los tíos no van juntos al servicio. Está mal —contesta Leo.

—No es lo único que está mal —responde Ed, agarrando a Dylan por la camiseta—. Moveos.

Los observo hasta que se cierran las puertas del servicio.

—¿Crees que Dylan dice la verdad?

Daisy se mira en un espejito y se lo pasa a Jazz.

—¿Quieres que lo averigüe?

—Si los llamamos mentirosos fastidiaremos el ambiente —dice Jazz, mirándose en el espejo—. Odio mis pecas —añade, y me lo da.

—Me gustan las pecas —comenta Daisy—. Y no lo fastidiaré. Tengo un método especial para sacarle la verdad.

—¿Cuál? —pregunto.

—Le doy una patada en los huevos.

—Sí que es especial, sí —respondo, y le devuelvo el espejo.

Jazz nos regaña a las dos con el dedo.

—Vale, vamos a mantener la calma y no ponernos paranoicas —dice, bajando la voz—. Deprisa, Daisy, larga todo lo que sepas sobre Leo antes de que vuelvan.

—Vale. Es bastante salvaje, aunque menos desde que se mudó con su abuela, pero, bueno, se le va bastante la olla.

—¿Más que cuando usó una cadena de camisetas de chico para salir por la ventana de clase haciendo rápel mientras el profesor no miraba? —pregunta Jazz.

—No, más o menos ese tipo de locuras, aunque su hermano Jake ha tenido problemas con la policía. No conozco los detalles.

—¿Leo ha estado en la cárcel?

—Se lo llevaron a comisaría y lo soltaron sin cargos. Dylan no me contó qué hizo. Emma, su ex novia, dijo que le destrozó la casa.

—¿Emma Forest? —pregunta Jazz—. ¿Su ex es la chica que tiene unos enormes...?

—Esa misma —responde Daisy.

Jazz se mira el pecho y yo le doy una palmadita en el hombro.

—A los chicos también les importa la personalidad.

—Las chicas como yo extendimos ese rumor —responde ella, mirando a Daisy—. ¿Cuándo rompieron?

—No estoy segura, hace un tiempo. Desde entonces no ha tenido ninguna novia.

—¿Ninguna chica? Si ha estado de sequía quizá tenga una oportunidad.

—Bueno, no, ha estado con chicas. Con montones de chicas. Montones y montones de chicas. Montones y montones y montones...

—Vale, lo capto —la corta Jazz—. ¿Y Ed? Por si Lucy necesita un plan de emergencia.

—No voy a necesitar ningún plan de emergencia. Ay, no me pegues patadas.

—No lo veo mucho desde que dejó el instituto. Salía con Beth Darling, una chica de colegio privado. Creo que St. Catherine. Es guapa y lista. Él dejó el instituto hace dos años. Ahora trabaja en una tienda de pinturas de la ciudad.

—Quizá por eso conozca a Sombra. Quizá Ed le venda la pintura —dice Jazz.

—Quizá, Dylan no me lo ha dicho.

—¿Por qué dejaría el instituto? —pregunta Jazz.

—Por Lucy.

—¿Por mí? Oh, Dios mío.

—Te pillé —responde Daisy, y sonríe—. No sé muy bien por qué fue. Se rumoreaba que por copiar. Leo dijo que era mentira.

Siempre me he preguntado por qué se fue, si fue porque había copiado o por algo relacionado conmigo. Intenté mirarlo aquel día, en Arte, cuando el señor Fennel lo pilló con el trabajo, pero él no apartó los ojos de la ventana.

Lo eché de menos cuando se fue. Es decir, no es que el cosquilleo desapareciera porque me tocara el culo. Me pasé todo el fin de semana posterior deseando poder apuñalarlo con mi boli de patito de peluche y, a la vez, mirando el teléfono con la esperanza de que llamara. Lo de las citas es un asunto muy confuso.

—Tienes una expresión extraña —me dice Jazz—. ¿En qué piensas?

—En nada.

—¿Eso es posible? —pregunta Daisy—. ¿No tener absolutamente nada en el cerebro? Porque a veces le pregunto a Dylan en qué piensa y eso es lo que me dice. Por una vez, me gustaría que me dijera que está pensando en la paz mundial, en salvar las ballenas o algo.

—No es posible —contesta Jazz.

—Es posible. No es un idiota integral.

—No, quiero decir que no es posible no pensar en nada.

—Es lo que le digo yo. Y tú debes de saberlo, ya que eres vidente y eso. Por cierto, ¿eso cómo funciona? ¿Oyes lo que piensa la gente?

—A veces tengo un presentimiento. Mi madre es mucho más vidente que yo. Tiene un sexto sentido que utiliza para saber dónde estoy día y noche. Esta es mi primera oportunidad en diecisiete años de estar más allá del alcance de su radar. Está fuera del país, así que espero que la diferencia horaria la trastorne.

—¿Cómo son tus padres? —me pregunta Daisy—. ¿Te dejan hacer cosas?

—Sí, son artistas. Se conocieron en la uni y se enamoraron locamente.

No miro a Jazz. Ya no tocamos casi nunca el tema de mis padres, desde que le pedí que usara sus habilidades paranormales para ver si su separación era una señal de que pensaban divorciarse. Ella se sacó el chupa-chups de la boca y dijo: «No es una señal, es una valla publicitaria. Y no necesito habilidades paranormales para ver eso».

Me callé y ella se calló, y la situación se volvió incómoda hasta que me pidió perdón y me dijo que había sido un chiste malo. Le contesté que no pasaba nada. Y no pasaba nada. Es que ella no los conoce como yo, nada más. Mi madre dice que no se van a divorciar, y esa mujer sigue una estricta política de sinceridad, así que me lo creo. Se lo pregunté directamente una noche, mientras estábamos en el cuarto de baño preparándonos para acostarnos.

—Te vas a divorciar de papá, ¿no? —pregunté.

Ella me agarró por los hombros y se me quedó mirando sin parpadear.

—Por quincuagésima vez, te prometo que no. Quiero a tu padre. Solo necesito espacio para terminar mi novela —me aseguró antes de pasar como pudo por mi lado para hacerse con el bote de desmaquillador—. En este baño no cabe ni un alfiler. En esta casa no cabe ni un alfiler.

—Entonces todo es culpa del alfiler, claro.

—No es culpa de nadie —repuso ella, poniendo los ojos en blanco—. No hay culpa que valga. Vamos a seguir casados. No todo el mundo vive como en las películas que te montas en la cabeza.

Aquello no me sirvió de consuelo.

Vuelvo al presente para escuchar a Daisy.

—Mi madre tiene diez sentidos distintos en funcionamiento cuando salgo con Dylan. Cada vez que Dylan dice o piensa algo sobre sexo, le da una descarga de electricidad estática justo en el sitio con el que lo está pensando.

Nos reímos cuando Daisy se pone a imitar cómo salta su novio cada vez que se besan.

—Tendríamos que haber salido contigo antes —dice Jazz—. No puedo creerme que hayamos esperado a que un profesor nos pusiera en el mismo grupo.

—Es genial que pasemos juntas la última noche del último año de instituto. Es como si dejara atrás a Dylan.

—¿De qué creéis que están hablando? —pregunto, mirando al servicio.

—Pues diría que de nosotras —responde Jazz.

Ed

—No vamos a pasar la noche buscándonos —le digo a Leo cuando cierra la puerta—. Es una pérdida de tiempo absurda.

—No, será divertido y tú necesitas divertirte. Llevas meses con esta cara —responde él, y pone una expresión muy rara.

—No tengo esa cara.

—Ya te digo.

—Yo sí que tendré esa cara si Daisy me deja, y seguro que me deja si piensa que le he mentido —dice Dylan.

—Le tiraste huevos a la cabeza. Lo más probable es que te plante hagas lo que hagas —respondo, y me vuelvo hacia Leo—. Lo decidimos juntos, dijimos que no se lo contaríamos a nadie. Dijimos que era arte por amor al arte. Dijimos que cuanta más gente lo supiera, más posibilidades de que los polis nos pillaran. Dijimos que seríamos los dos solos, sin más equipo.

—¿Seguro que no dije que era para ligar más?

La verdad es que eso suena como algo que Leo podría haber dicho.

—Seguro —respondo.

—Pues si no mentimos, hoy nadie liga —dice Dylan, apoyándose en el banco—. Ay, mierda.

—¿Qué? —pregunta Leo.

—Electricidad estática —responde Dylan, recolocándose los vaqueros.

—¿En la polla? —pregunta Leo, entre risas—. Lo que no entiendo es qué hiciste para que una tía como Daisy saliera contigo.

Él pasa de Leo y se vuelve hacia mí.

—Síguenos el rollo, Ed, te lo suplico. Te lo suplico de rodillas.

—No estás de rodillas, estás a punto de mear en un orinal.

—No me obligues a arrodillarme. ¿Tú sabes la de gérmenes que hay en un baño público?

Sacudo la cabeza, me río, y él sabe que ya me tiene en sus manos.

—Dos horas y se acabó —digo—. No les decimos que somos nosotros, pase lo que pase. Vamos a un par de sitios, fingimos buscar por ahí y nos inventamos algo para cambiar el plan.

Leo sonríe, está disfrutando demasiado con esto. Es como si lo viera: Jazz le dice que los escritos le parecen flipantes y él no puede guardarse el secreto. Lo miro a los ojos y le repito:

—Pase lo que pase, no se lo contamos.

—Pase lo que pase —me asegura Leo.

No me lo creo ni por un momento, pero no le pienso contar a Daisy que Dylan mintió porque sé lo que es querer tanto a una chica, dejarse arrastrar por el suelo detrás de ella con la esperanza de no soltarse.

Lo sé por Beth.

Antes de ella me daba la sensación de que las cosas avanzaban hacia alguna parte, pero que a mi alrededor se habían detenido. Los críos pasaban por la puerta de la tienda de pinturas riéndose, cargados con sus mochilas, y yo los observaba y me sentía como ese tío del cuadro de Jeffrey Smart, el que está en un mundo de hormigón con una autopista dando vueltas a toda prisa a su alrededor. Si aquel tío gritara, su voz no haría más que rebotar por todas partes y volver a él, rebotar y volver a él durante el resto de su vida.

Entonces, una tarde, Beth entró con un par de chicos de su instituto, chicos con camisa blanca y corbata que me miraban como si yo no fuera más que un saco de aire. Mientras les buscaba la pintura que necesitaban para la pancarta de su instituto, uno de ellos me preguntó:

—¿Trabajas aquí a tiempo completo?

—Sí.

—Muy prometedor.

Acepté su dinero, le pasé la caja por encima del mostrador y dije con educación:

—El color que has elegido demuestra una clara falta de estilo.

Sonreí, Beth se rio y el chico pidió ver al gerente.

Llamé a Bert, y él se inclinó sobre la caja de pintura, la miró y dijo:

—Ed estaba siendo amable. El color que has elegido es una mierda.

Beth se rio todavía más y fue esa risa la que me caló. Se quedó en la tienda después de que aquellos gilipollas de camisas blancas se largaran. Se puso a pasear por los pasillos y a mirarme de vez en cuando.

—Deberías pedirle una cita —me aconsejó Bert—. Quien no arriesga, no gana.

—La última vez que le pedí una cita a una chica acabé con los ojos morados. Por mi parte, quien no arriesga, no se rompe la nariz.

Sin embargo, antes de irse, Beth se acercó al mostrador y me dijo:

—Deberías pedirme una cita.

A partir de aquel día me quitó el peso del mundo del pecho, lo levantó para que pudiera respirar. Por la noche nos sentábamos en la colina, cerca de su casa, y hablábamos. Después nos subíamos a las bicis y volvíamos a casa a través de un mar de cielo en el que todas las luces de las putas fábricas eran estrellas, y el mundo era un lugar que podíamos atravesar nadando.

Al principio hubo algunos momentos, momentos fugaces, en los que estábamos tumbados, hacía calor, y podía oler las flores en su piel y el aguarrás en la mía, y oír su voz con mis terminaciones nerviosas. La oía en mi sangre y en mi piel, y se me olvidaban las cosas. Como que un día ella terminaría el instituto y me dejaría atrás. Como que yo era un estúpido comparado con ella. Se me olvidaba porque Beth flotaba sobre mí, y el mundo era líquido, daba vueltas y, por una vez, yo era líquido y daba vueltas con él.

No pensé en que un día me escribiría cartas y se preguntaría por qué no se las respondía. Que pensaría que era porque en realidad no me gustaba tanto, cuando lo cierto era que no respondía porque mi letra era como la jungla y cada vez que intentaba escribir las palabras salían todas mal.

—No tiene sentido —me dijo Leo al leer una de mis cartas—. ¿Quieres que te la escriba yo?

—No, no quiero que escribas por mí.

Tiré la carta. En vez de escribir, pinté para ella. Muros de Beth. Por toda la ciudad. Los hacía pensando que ella los vería, me conocería y seguiría susurrándome secretos al oído. Hay uno cerca de la estación de Hoover Street en el que se me ve a mí con césped saliéndome del corazón mientras hablo con ella. Meses después pinté el último muro al lado de ese, una imagen de Beth arrancando un cortacésped.

Lo pinté la noche que rompimos. Habíamos cenado con sus padres y ellos me habían preguntado qué pensaba hacer con mi vida, y las palabras que no dije se quedaron flotando en el aire. Antes de irme, Beth me preguntó:

—Piensas hacer otra cosa, ¿no? No te quedarás en la tienda, ¿verdad?

Respondí que sí, pero mi voz estaba hueca y ella oyó el repiqueteo de los huesos de mis palabras tan bien como yo. Y lo supe: algún día, un gilipollas con camisa blanca se la quedaría. Un gilipollas que tendría título universitario, mientras que yo solo tendría un dibujo en un muro. Así que me fui.

—¿A quién más se lo has dicho? —pregunto a Dylan antes de salir.

—A nadie, solo a Daisy.

Le bloqueo la puerta con el brazo.

—Vale, y a Raff, ya está.

Empieza a moverse, pero yo no muevo el brazo.

—Y a un par de colegas de Raff. Y ya está, de verdad.

—Raff tiene la bocaza más grande de la ciudad. ¿Y si nos lo encontramos esta noche?

—Seguro que no, estará en el casino, como siempre. No estará por donde nosotros.

—Si le dices una palabra más a alguien —lo amenazo, acercándome—, yo le cuento a todo el mundo que esta noche nos has llorado aquí dentro porque creías que Daisy iba a cortar contigo.

—No serás capaz.

—Claro que es capaz —dice Leo, riéndose, mientras responde a una llamada al móvil.

Habla un momento y cuelga.

—Tenemos que pasarnos por una fiesta y aclarar algunos detalles del trabajo con Jake. No tardaremos mucho.

—¿Una fiesta de Jake? Nos va a costar explicárselo a las chicas —comento.

—Es perfecto, Jake no sabe que soy Poeta.

—¿Y si las chicas se enteran del trabajo?

—No se van a enterar.

—Podrían enterarse.

Leo le dice a Dylan que nos vemos en la mesa. Cuando nos quedamos solos, añade:

—Mira, tú no tienes por qué hacer el trabajo, pero necesito que me lo digas ahora. Cuando hablemos con Jake ya estará todo cerrado. —Se calla para que me lo piense—. No me voy a molestar, ni Jake tampoco.

—Lo sé.

Leo no se cabrea. Yo te escribo el trabajo, yo te falsifico la nota, yo le parto la cara por ti a ese tío, no hay problema. Ese es Leo, aunque no puede pasarse el resto de su vida falsificando y aporreando por mí. No me puede pagar el alquiler.

—Cuenta conmigo —digo, y él asiente.

Eso es todo, no me lo volverá a preguntar.

De vuelta a la mesa, Dylan les dice a las chicas que vamos a una fiesta en la que a lo mejor vemos a Sombra y Poeta. Jazz y Daisy se lo creen, pero Lucy empieza el interrogatorio. Le da un par de vueltas a su muñequera y se pone a ello.

—¿De quién es la fiesta?

—De un amigo de mi hermano —responde Leo.

—¿Sombra no va a nuestro instituto? —le pregunta ella a Dylan.

—Creo que los dos han terminado ya —contesta él.

—¿Y Sombra estudió en nuestro instituto el último año?

—Creo que sí.

—¿Crees?

—¿Quién eres, la poli? —le pregunta Dylan—. No me acuerdo.

No puedo evitar reírme. La chica es más lista que una ardilla, como diría Bert. Hace dos meses, el día que murió, estábamos los dos comiendo en el almacén. Valerie nos había metido una cerveza fría con el bocadillo y la mía me soltó la lengua, así que dije:

—No puedo seguir colgándome de chicas listas.

—Yo fui a por una lista —repuso Bert.

—Ya te digo —respondí, levantando la cerveza—. ¿Cómo la conseguiste?

—Preguntando —contestó él antes de dar un trago—. Y ella dijo que sí.

—Preguntar es la parte más fácil. Después viene todo lo demás.

Apoyamos la espalda en las cajas de pintura y apuramos las cervezas. Las viejas manos de Bert temblaban, pero no más de lo normal. Entonces sonó el timbre del mostrador y a él le crujió todo el cuerpo cuando se levantó para atender. Un segundo más tarde había latas rodando por el suelo.

—¡Estoy bien! —me gritó cuando entré en la tienda—. No las he visto. Tienes visita.

Allí estaba Beth, llevaba una caja con mis cosas, me devolvía los trocitos de mí que me había dejado con ella. Podría haberlos dejado en mi casa cuando yo no estuviera o quedárselos por venganza, pero ella no es así. Quería ver si yo estaba bien y quería devolverme las cosas que me importaban: un libro de cuadros de Jeffrey Smart que le había prestado; una camiseta que hice en la clase de serigrafiado hace tres años; un CD de los Ramones.

—Tendrías que haberle dicho que querías volver —dijo Bert cuando ella se fue.

—No quiero volver.

—Quien no arriesga, no gana —concluyó él mientras se terminaba la cerveza.

Me quedé en el mostrador pensando en todas las formas de recuperarla, pero todas me conducían al mismo sitio: a mí diciéndole que yo no iba a ninguna parte y a ella dejándome atrás. Tenía una sensación extraña, como si llevara todo el mundo apretujado en mi interior.

Le dije a Bert que tenía que irme temprano, escogí un bote de pintura y mi cerebro se disparó, mis manos se lanzaron, y yo escapé al muro, un fantasma atrapado en un tarro. Di un paso atrás para observarlo y supe que lo más triste no era que el fantasma se quedara sin aire. Lo más triste era que en aquel pequeño espacio tenía aire suficiente para toda una vida. ¿En qué estabas pensando, fantasmita? ¿Cómo te has dejado atrapar así?

Jazz le dice a Lucy que se relaje e intenta darle una patada por debajo de la mesa. Lo sé porque se equivoca y me la da a mí.

—Apunta más a la izquierda —le digo, y ella prueba otra vez—. Más a la izquierda —insisto, y disfruto al ver que acierta un par de veces.

Todos empiezan a hablar sobre la noche. Leo tontea con Jazz. Dylan intenta tontear con Daisy mientras ella le tira azúcar a la cara. Hay que reconocer que el tío tiene aguante. Lucy mira por la ventana, observa algo que solo está en su cabeza, igual que hacía hace dos años, mientras yo la observaba a ella.

No ha cambiado mucho, todavía lleva la larga melena oscura sujeta de mala manera con pinceles. Todavía sonríe como si estuviera pensando en algo que cualquiera querría escuchar.

—¿Por qué tienes tantas ganas de encontrarlo? —le pregunto al cabo de un rato, aunque ella no me escucha; la observo un poco más—. ¿Por qué tienes tantas ganas de encontrarlo? —insisto.

Ella parpadea y sale de su sueño. Le da vueltas a la muñequera.

—Porque sí.

Lucy

Después de la segunda patada de Jazz dejo de hacer preguntas. Ya tengo bastante información por el momento, la verdad. Si Sombra ha terminado el instituto y nunca ha ido al nuestro, tiene sentido que no lo conozca. Si lo conociera, lo sabría, estoy segura. Un tío como ese destacaría en cualquier parte.

Jazz me mira a los ojos y tamborilea en la mesa con tres dedos. Tres dedos quieren decir que el tío con el que está hablando está tremendo. No debe confundirse con cuatro dedos, lo que significa: «Apártame como sea de este tío, aunque tengas que prenderle fuego a mi pelo». Cinco dedos quieren decir que está gritando por dentro, aunque por buenas razones. Jazz pone cinco dedos en la mesa.

Leo está tan bueno que es como para gritar, eso está claro. Cinco dedos elevados a diez. Y alto, el tipo de Jazz. Una vez lo vi de lejos y creí que era un árbol que se me acercaba, un roble con la cabeza afeitada, ojos dulces y un tatuaje. El chico huele a problemas y Jazz lo sabe, pero es feliz fingiendo no saberlo esta noche. Es lo que yo hice con Ed, y lo único que saqué fue un silencio espacial, un magreo rápido y un montón de vómito. No es el señor Darcy, no.

Mi madre me contó una vez que supo que mi padre era el chico perfecto para ella porque podía hacer malabares y hablar sobre el impacto de la globalización a la vez: «Todos los chicos que conocía sabían hacer una cosa o la otra, y ninguna demasiado bien».

A veces la pillo mirando por la ventana el pequeño hornillo de *camping* que mi padre usa para cocinar y sé que echa de menos que viva con nosotras en casa. Los vi ayer frente al espejo, cepillándose juntos los dientes. Hay formas y formas de cepillarse los dientes. Se tomaron su tiempo para pasarse el hilo dental y hacer gárgaras, y se estaban riendo.

Algunas noches, mi madre come con él. Mi padre le prepara la comida en su hornillo y se tumban en el césped del patio delantero, bajo el peral. Él la hace reír como nadie. Hace trucos de magia para ella, le saca monedas de la oreja. «Anda que si consiguieras sacar la cuota de la hipoteca de ahí...», dijo ella.

De vez en cuando pillo a mi padre saliendo del dormitorio. Él me mira como si fuera un ladrón. «Es vuestro dormitorio, papá», lo tranquilizo cuando pasa. Sigo avanzando hacia el cuarto de baño y me siento en la taza un rato hasta asegurarme de que se ha ido. Es raro pillar a tu padre saliendo a hurtadillas del dormitorio de tu madre. Es raro sentirse rara por eso.

El lado positivo es que está claro que siguen haciéndolo, lo que resulta aún más significativo que el cepillado conjunto de dientes. El lado negativo es que el repartidor de pizzas sabe perfectamente dónde llevar el pedido de mi padre y ya no llama a la puerta principal de la casa. El lado positivo es que mi padre tiene una foto de mamá y de mí sobre la caja de leche que usa de mesita de noche.

—Jane Austen se revolvería en su tumba —le digo a veces a mi madre.

—Jane Austen era una escritora, así que lo entendería perfectamente —responde ella, y, claro, no se lo puedo discutir, aunque no me sirve de consuelo.

En la pared de mi dormitorio tengo la fotocopia de un dibujo del artista Michael Zavros. Se ve un caballo cayendo del cielo dando tumbos, con las patas hacia las nubes. No tiene forma de enderezarse. Me da la impresión de que no sabe cómo ha llegado hasta ahí, ni dónde está, ni por qué está cayendo. El cuadro se llama *Till the Heart Caves In*, hasta que el corazón ceda, y ese título me desgarra. Me encanta el caballo, me encanta lo real que es; me encantan las elegantes líneas de sus patas y su cabeza. Sin embargo, no es por eso por lo que algunas noches no puedo dejar de mirar la imagen. No sé decir exactamente por qué es, salvo que tiene que ver con lo que debería ser el amor. Deberías sentirte como si tuvieras dentro un caballo en caída libre. No deberías ser capaz de dormir sabiendo que la persona que amas está tumbada en el cobertizo.

Miro a Leo, que juega con una de las trenzas de Jazz. Ella me vuelve a hacer la señal de los cinco dedos. Espero que a Leo le guste Jazz. Espero que ese tío merezca la pena, aunque no lo creo. Siento la imperiosa necesidad de arrastrarla de vuelta al cubículo de la verdad y encerrarla allí. Ella es la vidente, pero no puede ver lo que se avecina: el cruce de la calle del dolor con la avenida del dolor profundo. El punto ciego es un peligro. Quizá Poeta sea el chico adecuado para ella, si lo encontramos. Si Leo no ha tenido ninguna novia desde Emma, debe de haber un motivo.

—¿Por qué tienes tantas ganas de encontrarlo? —me pregunta Ed, y, cuando lo miro, sé que ya me ha hecho la pregunta más de una vez y yo no lo he oído.

Le doy varias vueltas a la muñequera de la suerte de mi padre.

—Porque sí.

Poeta

Segundo ejercicio
Poesía 101
Alumno: Leopold Green

Amor esposado

La chica que amaba llamó a los polis
para que me detuvieran.
Dijo que era lo más sensato que había hecho,
además de plantarme.

Se despidió con la mano
mientras me esposaban.
Le pareció muy gracioso
que intentara hacer lo mismo.

El otro tipo del furgón
olía como mi padre
después de una noche de cerveza,
a fruta y agrio.

Y me hizo pensar en ella,
en que lo primero que noté
fue que no tenía nada que ver
con las chicas que había conocido antes.

Lucy

Leo mira su reloj.

—Si nos damos prisa podemos llegar al tren de las diez y cuarto.

Jazz y él caminan delante. Daisy camina a un lado y Dylan la sigue como una sombra, así que yo me quedo con Ed. Está más alto que hace dos años, aunque sigue sin ordenarse mucho el pelo. Y sigue habiendo ese espacio a su alrededor. Lleva una camiseta con un conejo que lee un libro.

—Sigues mirándome por el rabillo del ojo —comenta—, como si fuera a agarrarte el culo de un momento a otro. Relájate. Tengo novia y, para tu información, nuestra primera cita fue genial.

—Quizá aprendieras algo de nuestra primera cita —le digo; chúpate esa, chaval.

—Lo nuestro no fue una cita. Las citas acaban con un beso, no con sangre y cartílagos rotos.

—Hombre, sí, si te pones tiquismiquis.

Ed arquea las cejas y pone los ojos en blanco.

—Para que conste, fue ella la que me agarró el culo.

—Suena romántico —respondo; recojo un palo y finjo que es una caña para soplar vidrio. Me dedico a crear estrellas fundidas.

—Fue romántico —afirma Ed, observando cómo me llevo el palo a los labios—. No se dedicó a hacerme un examen sorpresa, ni tampoco me dio una paliza por no acertar las respuestas.

Soplo hasta tener un océano de cristal dorado. Un cielo. Algunas nubes.

—Beth parece la chica perfecta —respondo; mierda, seguro que está sonriendo.

—No he dicho que se llamara Beth.

—Bueno, las Beth tienen fama de tocaculos —contesto.

Intento con todas mis fuerzas hacer como si no hubiese dicho una estupidez. Lo intento. Lo intento. Nada, no sirve. Me disculpo en silencio con todas las Beth.

—¿Y todas las Lucy son rompenarices?

—Estás más hablador que hace dos años. No sé si acaba de gustarme.

—¿Me busco un escudo?

No respondo. No estoy acostumbrada a no gustar a la gente. Como mucho, le doy igual. Aunque, para ser justos con Ed, tampoco le he roto la nariz a esa gente.

Me concentro en el paisaje, en las calles medio oscuras y los semáforos que parpadean porque la red eléctrica no puede con la sobrecarga de los aires acondicionados. Uso el palo para dibujar algunas cosas que faltan en el mundo: un árbol extra por aquí y por allá; algunas luciérnagas; una sombra.

—¿Qué haces? —me pregunta Ed.

—Dibujar.

No hace falta ser vidente para darse cuenta de lo que está pensando. Bajo el palo. Tengo como una bruma bajo los párpados, como si atravesara un sueño de neón. Ayer también hizo un calor nuclear, así que no dormí mucho. Quizá siga dormida y Ed no sea más que un invento de mi subconsciente.

Un coche pasa junto a nosotros; los chicos de dentro nos dedican un calvo por la ventana, lo que hace que mi teoría del sueño resulte inquietante. Leo los saluda con la mano.

—¿Amigos vuestros? —pregunto a Ed.

—Sí, ¿pasa algo?

—No iba con segundas. Seguro que los tíos que hacen calvos son muy listos.

Él arquea las cejas y se da unas palmaditas en las piernas.

—Estás manchado de pintura —le digo.

—Trabajo en una tienda de pinturas.

—Ya. ¿Por eso conoces a Sombra? ¿Te compra suministros?

—Trabajo en un sitio al que van las ancianas a buscar pintura que pegue con sus colchas de flores. ¿Crees que Sombra se dedica a charlar con ellas mientras compra sus botes? No sabes nada de los tíos como él, ¿verdad?

—Sé de grafiti —respondo, y suena como si fuera una anciana diciendo que le gusta el hip-hop.

Ed se ríe.

—Vale, no sé dónde comprar su pintura; ni siquiera sé cómo llamáis a la pintura. Sé que me gusta su arte. Sé que, a veces, estoy en un tren que pasa por una esquina llena de maleza y contaminación, y de repente me encuentro con el dibujo de un océano. En medio del país de las fábricas descubro una desembocadura al mar.

Miro a Ed suponiendo que seguirá riéndose, pero está mirando al frente, como si intentara con todas sus fuerzas anular el sonido de mi voz.

Esta noche va a ser una de esas noches que parecen no terminar nunca. Quizá dure todavía más que hacerse la cera después del invierno. Leo y Jazz se ríen; oigo su risa vaciándose en la calle. Al menos para Jazz el tiempo avanzará a un ritmo distinto. La semana que Ed me preguntó si quería salir con él, antes de la cita en sí, me sentía como si el mundo fuera de cristal caliente y yo estuviera encantada de quedarme atrapada dentro.

Ed sigue dándose palmadas en las piernas, en silencio, cuando llegamos a la estación. Dylan se para y apunta al cielo. Tardo un par de segundos en ver lo que señala, pero al final lo hago y, cuando lo hago, me entran ganas de recortar lo que veo y llevármelo a casa para tenerlo siempre cerca.

—¿Es de Sombra? —pregunta Jazz—. Me gusta.

—También te va a gustar lo de Poeta —dice Leo—. Normalmente trabajan juntos.

Ed le echa una mirada asesina. Leo sonríe. Dylan se estremece. «Aquí pasa algo», pienso a todo volumen, y sé que Jazz oye mi pensamiento, porque me mira muy seria y hace estallar una pompa de chicle.

—Qué raros estáis todos, dejadlo ya —se queja Daisy—. Me estáis poniendo de los nervios.

Por los altavoces nos dicen que el tren llega cinco minutos tarde, así que, mientras se dirigen al andén, yo me quedo un poco más. En el muro, a lo lejos, bajo la luz de una torre, está la obra de Sombra. Es un cielo nocturno que se destiñe por los bordes, así que se ve la pared debajo. Por él vuelan unos pájaros que llegan hasta la línea en la que el cielo se funde con el ladrillo y dan media vuelta. Les brillan las plumas. Pájaros de luna atrapados en un cielo de ladrillo. El mundo no los ensucia; desde donde estoy parecen más bellos que los pájaros de verdad que vuelan a su alrededor.

Me vuelvo y veo que Ed me observa observar.

—Vamos —dice—. Ya viene el tren.

Ed

Pinté esos pájaros hace tiempo. Aproveché una oportunidad a primera hora de la mañana, de camino a abrir la tienda. La luz que pasaba por encima de los edificios hacía que la noche retrocediera ardiendo. No tuve que trepar mucho, solo me senté en una valla con un par de pájaros reales a mi lado y lo pinté todo a la altura de los ojos. Lo más difícil fue el equilibrio. Había un cuervo de verdad que no paró de reírse mientras yo trabajaba y, cuando pinté la última línea, él pasó volando por delante del muro y subió al cielo. Volvió para dar otra vuelta, como si dijera: «¿Ves? Es fácil una vez que sabes cómo hacerlo».

Es como si el arte fuera lo único que sé cómo hacer. Palabras, clases, nunca acababa de comprenderlo del todo. Me sentaba allí, intentando borrar el ruido de las sillas y los otros chicos. Intentaba hacer un túnel alrededor de la voz del profesor para que me llegara con claridad. Casi ningún día lo lograba. Lo oía todo y, por eso, no oía nada. Como si estuviera en un lugar en el que todos los sonidos estuvieran al mismo nivel y no consiguiera separar los hilos. Como si todas las puertas del mundo estuvieran abiertas y el sonido entrara a borbotones.

No habría aguantado tanto tiempo en el instituto sin Leo. Él me ayudaba a leer, yo le daba un sitio en el que refugiarse y ninguno de los dos necesitaba saber por qué. Una vez fui a su casa cuando teníamos diez u once años. Abrió la puerta y, detrás de él, surgían olas de música y gritos. Cuando pienso en aquel día oigo el zoo. Los ruidos de cosas saliendo de sus jaulas. Leo cerró la puerta y no dijimos nada sobre lo que había oído. Nos alejamos.

Aquella noche durmió en mi casa. Yo estaba casi dormido cuando empezó a hablar desde el suelo, a los pies de mi cama. Me explicó que no le gustaba el olor de la cerveza, que le gustaba el silencio de mi casa, que a veces no le gustaba dormir porque soñaba. En la oscuridad, le conté lo de las puertas abiertas del mundo y que no podía hacer los deberes.

Antes de irse a casa al día siguiente, me pidió que le enseñara lo que había hecho. Se lo enseñé, y él me lo arregló. No cambió nada, solo consiguió que fuera legible. Y eso mismo hizo con todos mis deberes a partir de entonces.

Lo que pinto sale bien de mi cabeza, no hace falta comprobar las faltas de ortografía. Oigo a la gente hablar sobre lo que sienten cuando pintan en sitios prohibidos. Leo dice que le provoca un miedo que corre por sus venas a toda velocidad, desde el corazón a todos los rincones bajo la piel. Yo pinto para que ese miedo veloz desaparezca. Pinto para cerrar las puertas.

Esta noche, Lucy se queda mirando los pájaros. Yo me quedo mirándola a ella e intento averiguar en qué está pensando. Estará soñando con un tío que no existe, supongo. Un tío al que le salen océanos de los botes de pintura y palabras de la boca, y que dice las cosas que ella quiere escuchar. Me pregunto qué pinta tendrá Sombra en su cabeza. Cómo sonará. Ella se vuelve y me pilla mirándola.

—Vamos —le digo—. Ya viene el tren.

Viene el tren y tú tienes que ir a una fiesta para buscar a un tío al que no vas a encontrar nunca. Al tío que existe en tu cabeza, no al tío que pintó eso. No al tío que soy yo.

El tren sale zumbando por la vía y el mundo del otro lado de la ventanilla se mece y emborrona. Jazz y Leo ocupan dos asientos a la izquierda de la puerta. Daisy y Dylan, dos a la derecha. No hay asientos para Lucy y para mí, así que nos balanceamos con el movimiento del tren y escuchamos dos conversaciones distintas.

—Seguro que en la línea de Camberwell tienen aire acondicionado —dice Jazz—. Al menos podrían poner ventanas que se abran.

—Los críos sacarían la cabeza y ¡pum! —responde Leo—. Sangre por todas partes.

—Hay que ser muy estúpido para sacar la cabeza por la ventanilla de un tren en marcha —comenta Jazz.

—Sería genial sacar la cabeza por la ventanilla —le dice Dylan a Daisy; ella se lame el dedo y escribe «idiota» en el cristal.

Lucy se ríe y no puedo evitar reírme con ella. Nos balanceamos el uno al lado del otro, el tren bota al cambiar de vía para ir al sur. A través de la ventana veo llamas saliendo disparadas de la refinería y una media luna que no estaba antes. Me hace pensar en una pared que hicimos Leo y yo: una luna de grafiti atravesada por la sombra de unos cables de alta tensión. «Luna prisionera», escribió Leo.

Hice dibujos de aquella luna en mi bloc antes de pintarla. Quería que fuera como uno de esos paisajes de sueños de Dalí que Bert y yo habíamos visto en el museo. No me podía sacar de la cabeza aquellas imágenes acuosas, y esa misma noche soñé con una luna encerrada en las sombras.

—¿Por qué dejaste el instituto? —pregunta Lucy sin venir a cuento.

—Me daba miedo que volvieras a pegarme.

El tren se para y la gente entra a empujones. Dejo que unos cuantos se metan entre nosotros para no tener que responder más preguntas sobre el tema. Beth también me lo preguntó una vez. Le dije que me hicieron una oferta de trabajo y que mi madre necesitaba ayuda para pagar el alquiler. En parte, era verdad; era la mejor parte de la verdad. La peor parte era que me pillaron sacándome un trabajo de los pantalones.

Era el primer trabajo de la clase de Arte que teníamos que hacer en el aula. Hasta entonces había escrito a máquina lo que quería decir, y Leo lo revisaba y arreglaba las cosas que no tenían sentido, como había hecho desde que estábamos en primaria. Sin embargo, hacía dos años que teníamos que hacer todo el trabajo en clase para preparar los exámenes del último curso, así que estaba jodido. «No estás jodido —dijo Leo—. Te escribiré lo que quieras decir y te lo paso a escondidas.»

Si la señora J hubiera estado aquel día en clase, la cosa habría sido distinta. Pero estaba enferma y Fennel la sustituía. Me pilló sacándome el papel de los pantalones y se le fue la olla, como si yo lo hubiera hecho específicamente para fastidiarlo a él. Dijo a la clase: «Si alguien más tiene el cerebro en los calzones, que se siente conmigo frente a la clase». Hay que ser muy imbécil para decir «calzones».

No miré a Lucy en toda la hora. Quería mirar. Quería hacerle una señal para que supiera que no estaba copiando, pero no se me ocurría cómo hacerlo, teniendo en cuenta que acababa de sacarme un trabajo de los pantalones.

Cuando sonó el timbre, Lucy se fue con los demás y Fennel me llevó a empujones al despacho del coordinador. Mientras caminábamos, un chico se puso detrás de mí con cara de payaso y fingió hacerse una paja. Supe que todo el instituto lo sabría en menos de un minuto. Cuando recuerdo aquel día, lo único que veo son payasos pajilleros.

Fennel tuvo una idea genial en el despacho del coordinador: me pidió que me sentara y escribiera la frase «Este trabajo no es mío» para comparar la letra. Había sido profesor de Leo en Ebanistería durante muchos años, así que sabía de quién era la letra. El trabajo era mío, así que le hice algunas sugerencias sobre dónde podía metérselo para guardarlo hasta que volviera la señora J. No le gustaron mucho y llamó a Leo.

«No es mi letra, es la de Ed», respondió Leo, y se quedó allí sentado con las piernas estiradas y los brazos cruzados, mirando a Fennel sin parpadear. Nos expulsaron a los dos, más por mis sugerencias sobre dónde meterse el trabajo que por otra cosa. Leo volvió al cabo de una semana.

Yo me dediqué a buscar mi azul en las tiendas de pintura durante el día y a pintar cielos por la noche. Encontré un azul casi perfecto en la tienda de Bert, pero era en lata, así que tenía que volver a menudo a por más.

—Espero que no seas uno de esos pequeños delincuentes que me han destrozado la pared de la tienda —dijo un día mientras me cobraba.

—Si fuera yo, no creo que se lo dijera —contesté, creyendo que me echaría.

—¿Tienes los ojos morados por ser tan listillo? —preguntó.

—Tengo los ojos morados porque no soy muy listo —respondí, y, como se rio, le conté lo de Lucy.

Siguió riéndose hasta que entró Valerie, y después me invitó a comer.

—No estoy bombardeándole la pared con pintura en lata —le dije mientras comíamos—. Si no quiere que la gente le escriba, lo mejor es que deje de vender pintura en espray.

—La pido para el estudio de arte de más abajo —respondió, y se me quedó mirando un rato—. ¿Por qué no estás en clase?

—Lo dejé.

—Eso no tiene futuro.

—Tengo futuro en el arte —afirmé, y saqué mi bloc de dibujo.

Lo repasó despacio, volviendo las hojas con sus manos ancianas y arrugadas. Al cabo de un rato sacó su bloc. Al final del día yo era un subversivo con una prometedora carrera en el mundo de la decoración de interiores y un descuento para pinturas.

La señora J me visitó una o dos semanas después. Leo le dijo dónde encontrarme. Entró y fingió mirar la pintura. Cuando la saludé abrió mucho los ojos.

—Ed, qué agradable sorpresa. Me alegro de que hayamos coincidido. Leí tu trabajo.

Ni siquiera tuve que explicarle que era mío.

Bert le preparó una taza de té y le ofreció una silla, y los tres hablamos sobre los colores de los cuadros de Rothko, de cómo te transportaban a otro lugar lleno de cielos brumosos.

—Podrías volver —me dijo la profesora—. Yo te ayudaría, y hay un departamento en el instituto que te facilitará las cosas.

—Gracias, pero no, gracias. Aquí tengo todo lo que necesito.

—Por ahora —respondió ella, y yo me encogí de hombros.

Sabía lo que quería decir. Los días ya se me hacían eternos, pero Bert era un buen jefe y supuse que era el precio por sentirme seguro.

—Ha tenido usted mucha suerte —le dijo la señora J a Bert al salir.

—No hace falta que me lo diga —repuso él.

El tren para y la gente sale. Lucy está en el mismo lugar que antes, no hay nadie entre nosotros, pero no vuelve a hacer la pregunta. Mira por la ventanilla, quizá a la luna que flota en el cielo o a las llamas de las fábricas, y me dice:

—Me gusta que el cielo no vaya a ninguna parte. En ese dibujo. Me gusta que los pájaros quieran huir, pero no puedan. Me gusta el reflejo de la pintura en la oscuridad.

El tren arranca de nuevo, y yo me agarro con fuerza para no caerme.

La fiesta es en Mason Street, a pocos minutos de la estación. A pesar de ello, Leo nos lleva por el camino más largo, así que sé que va a enseñarle a Jazz uno de sus poemas, *Día perdido*.

Mientras las chicas lo leen, le echo una mirada en plan: «Pero ¿qué estás haciendo, tío?». «Es el plan», responde él moviendo los labios, en silencio. El caso es que no le enseña su escrito para que ella piense que ha sido otro tío. Tarde o temprano pretende confesarle que él escribió el poema.

—Me gusta —comenta Jazz—. Me gusta que le importe el mundo.

—Sí —responde Leo, sonriendo, pensativo—. Parece un buen tío.

Este poema es más largo de lo normal para Leo. Me lo leyó antes de ponerlo en la pared.

—¿Cuándo lo has escrito? —le pregunté.

—Sentado en la gasolinera. Un tío se puso a hablar conmigo mientras esperaba a Jake.

Sigo andando, y dejo a Leo y a Jazz mirando la pared. En este sitio no es buena idea quedarse parado.

Poeta

Tercer ejercicio
Poesía 101
Alumno: Leopold Green

Día perdido

En la gasolinera hay un tío
con leones en el pelo,
colas mate de leones fieros,
y una canción sucia en la piel.
No recuerda dónde,
pero sabe que perdió el día.

Camisetas de día y corbatas de día,
y relucientes zapatos de día.
Nublados pensamientos de día
que flotan en nublados y tristes días.
Sonrisas de día de gente que viaja
mientras se lleva el sol a casa.

Tele de día en el fin de semana
y llamadas de teléfono por la mañana.

Ahora llora en la gasolinera,
la medianoche amarga en la boca,
la esperanza que ya no toca,
una canción sucia en la piel,
colas mate de leones fieros.
Quién sabe cómo ni dónde
pero es el hombre que perdió el día.

Ed

La fiesta ya se ha desbordado hasta el patio delantero cuando llegamos, y eso que solo son las once menos cuarto. Un par de los amigos de Jake nos saludan al pasar. Leo les choca la mano en el aire y nos conduce al interior.

Entrar en una fiesta es como entrar en un sueño demencial. La gente pasa por tu lado diciendo cosas sin sentido porque están chorreando alcohol. La casa vibra con el calor y la música, y, en la oscuridad, unas personas que por la mañana no se van a conocer se dedican a conocerse a fondo. Aquí son todos mayores que nosotros y, aunque conozco a la mayoría, compruebo rápidamente las salidas. Me siento mejor sabiendo que puedo salir.

—¿Qué fiesta es esta? —pregunta Lucy mirando a un grupo de tíos que parecen salidos del plató de *Prison Break*.

—Una de las buenas —responde Leo—. Id a pasarlo bien. Voy a hablar con mi hermano y luego os buscamos.

—¿De las buenas? —le grita Lucy a Jazz—. Estoy segura de que vi a ese tío la semana pasada en *Crime Stoppers*, lo estaban buscando.

Tiene razón, lo vio.

—No te pongas paranoica —le grita Jazz, y la arrastra a la pista de baile.

Daisy las sigue, mandando besos a la gente que conoce. Las tres entran y salen de la música, y Lucy se mueve como si tuviera un ritmo distinto en la cabeza, un ritmo que solo oye ella. Veo a Leo hablar con Jake, y se me ocurre usar una de las salidas para poder buscar un muro y pintar a una chica con un ritmo salvaje.

—Ed —me llama Leo, así que me acerco a saludar a Jake.

Después de intercambiar saludos, los dejo para que hablen de negocios y vuelvo con Dylan para observar a las chicas. Llega más gente, queda menos aire, y estamos llenos de sudor y oscuridad.

—Pareces preocupado —dice Dylan—. ¿Crees que saldrá mal?

—Sí, creo que saldrá mal. Si tuvieras alguna neurona, no vendrías esta noche.

—Tú tienes alguna neurona.

—¿Qué?

—Tú tienes alguna neurona. ¿Por qué lo haces?

—Tengo muchas neuronas, que conste, pero también tengo facturas y estoy en paro.

—Mis padres pagan las facturas, pero no me pagarán el viaje a Queensland porque me gasté mi dinero en una Wii —dice Dylan.

—Pues pide trabajo en un McDonald's, idiota.

—Ya lo tengo, lo que no tengo es tiempo para volver a ahorrar esa cantidad. Daisy va a ir sin mí, y dormirá sola rodeada de surferos. Ya sabes lo que quieren esos.

—¿Una gran ola? —pregunto, mirando a Lucy.

—Exacto. Que se busquen su propia ola.

Nos quedamos mirándolas otro rato.

—Creo que los surferos pueden ser su tipo —dice Dylan.

—Pues estás jodido.

—Podría hacerme surfero si quisiera.

—Los surferos no llevan camisas de cuadros ni se planchan los vaqueros, ni se afeitan dos veces al día.

—Me gusta ir bien.

—Y me parece estupendo, pero nunca serás un colega.

—«Colega» es una palabra estúpida.

—Sí —respondo; después de otro rato de observación de chicas, añado—: No hagas el trabajo. No merece la pena el riesgo.

—Sí que merece la pena —responde, con los ojos clavados en Daisy.

«Sigue tu propio consejo», me diría Bert. Escucho bien su voz incluso aquí dentro, con la música a todo volumen y las nubes de humo. Ya no puedes hacer nada por mí, Bert. Estás muerto y yo estoy enterrado.

Pinté algo para él el día que murió. No en el lateral de su tienda, porque no le habría gustado nada, sino en un sitio legal, al final de Edward Street, cerca de los muelles, donde levantaron una tapia para que la gente hiciera su arte. No era nada ingenioso, solo pinté su retrato y le puse la cara que tenía cuando se tomaba una cerveza o cuando me enseñaba algo nuevo. Eso sí, lo hice grande para que lo vieran todos los que pasaran en los trenes.

Una tarde llevé a Valerie a verlo. Nos quedamos un buen rato con los viejos ojos de Bert. Ella le acarició la cara y las enmarañadas cejas mientras yo miraba el río. Había menos agua que antes, la lluvia empezaba a parecer un cuento lejano.

—Tengo que vender el negocio, Ed —me dijo, y sentí más pena por ella que por mí—. En el barrio de al lado hay una ferretería que lleva años intentando comprarnos, pero Bert se negaba. Quería que te lo quedaras tú.

—De todos modos, yo no habría sido capaz de llevarlo —respondí sin apartar los ojos del río.

—Oh, claro que eres capaz, pero necesito el dinero. Será una venta rápida y se pondrán al mando prácticamente sobre la marcha.

Me imaginé la tienda sin Bert y un pensamiento me pasó por la cabeza, la sensación de que llevaba una sequía dentro, como si a mis entrañas les faltara agua para flotar.

Hasta hace un par de semanas me pasaba mucho a visitar la imagen de Bert. Casi todas las tardes me sentaba allí con una cerveza y le hablaba de los sitios donde dejaba el currículo y del arte que había visto.

Sin embargo, está bastante claro que no voy a conseguir ningún trabajo en el futuro próximo, así que he dejado de ir. Es mejor que esos viejos ojos no vean ciertas cosas.

—Vale —dice Leo, apartando la mirada de Jake—. A la una recojo la furgoneta de Montague Street. A las tres vamos al instituto. Las rondas de seguridad son a las dos y a las cuatro y media. Dylan ha dejado la ventana abierta esta mañana, así que solo tenemos que cargar la furgo de ordenadores y cualquier cosa de valor que encontremos en el edificio de audiovisuales, y llevárselo todo a Jake.

—¿No hay alarma? —pregunto.

Leo saca un trozo de papel del bolsillo.

—Todo bajo control.

—¿De dónde ha sacado eso Jake?

—No hago preguntas.

Si yo hiciera preguntas, preguntaría cómo es posible que vayamos a robar en el edificio de audiovisuales, si precisamente allí trabaja la única profesora que ha sido simpática conmigo. «Buena pregunta», dice Bert.

—Necesito aire —le digo a Leo, y me abro camino entre las grietas de la multitud hasta que llego a la puerta de atrás.

Está bloqueada por un cubo lleno de bebidas, así que avanzo a empujones hasta la puerta principal, donde un chico y una chica están en plena faena y no me dejan pasar. Le doy un golpecito al chico en el hombro, pero no piensa moverse a no ser que haya un incendio y, aunque lo hubiera, probablemente tampoco se movería.

Se me ocurre que siempre hay ventanas, de modo que vuelvo al salón y miro a mi alrededor. Veo la ventana al lado del sofá en el que Lucy se ha sentado para descansar del baile. Está al lado de Gorila, un tipo al que llaman así porque es peludo y porque se rumorea que algunas partes de su cuerpo son extensibles. El tío sonríe y se acerca a Lucy, y ella está atrapada en medio de una masa de cuerpos. Los miro. Miro la ventana. Pienso en nuestra cita. Siempre puede romperle la nariz si el tío se pone demasiado amistoso. Salto por la ventana, aterrizo en el césped y miro atrás. ¿A quién pretendo engañar? Si le rompe la nariz, quiero verlo.

Apoyo los brazos en el alféizar de la ventana y la observo presentar batalla.

—¿Cuántos años tienes, nena? —le pregunta Gorila.

—Los bastantes para pasar de ti —responde ella, mirándole los brazos extensibles.

—¿Te gusta lo que ves? —le pregunta él, y le toca la pierna—. Tú y yo tendríamos que echar un polvo.

—¿Se te ha olvidado evolucionar? —pregunta ella mientras intenta levantarse del sofá.

Me río porque me gusta lo guerrera que es, siempre que no sea conmigo. Antes de que descubra qué otras partes de Gorila son extensibles, subo por la ventana y entro.

—Está conmigo, Gorila.

—No lleva puesto tu nombre —responde él; ella pone cara de cabreo, él parece tener ganas de pelea y yo sé que cualquiera de los dos podría conmigo, así que zanjo el tema rápidamente.

—Hazme caso, búscate otra. Esta es la que me rompió la nariz.

—Mierda, toda tuya.

Me dejo caer en el sofá.

—¿Lo has oído? Eres toda mía.

Ella tira de su muñequera.

—En la cocina hay un tío haciendo tatuajes. ¿Quieres tatuarme tu nombre? —pregunta.

—A lo mejor después.

—¿Has entrado por la ventana?

—Las otras salidas están bloqueadas —le explico, y me quedo allí sentado intentando pensar en algo que decir.

Es difícil charlar rodeados de un mar de parejas que están tatuándose los unos encima de los otros. Ella no puede dejar de mirarlos, y eso es mala idea en una fiesta como esta.

—No mires —le digo.

—Es como el sol en un eclipse: me dejará ciega, pero tengo que mirar.

—Si sigues mirando a esa chica, sí que te va a dejar ciega.

—Solo te falta una cámara —le dice la chica a Lucy.

—No, me falta una manguera.

—Vale —digo, tapándole los ojos—. Ya no mira nadie.

La chica vuelve a lo suyo, aunque yo dejo la mano donde está, por si acaso. Cerquita de la boca de Lucy.

La observo para no sentir la tentación de mirar a nadie más. Ella mueve la cabeza y los pies al ritmo de la música.

—¿Te diviertes? —le pregunto.

—Más que antes. No está tan mal si no lo ves.

Me tapo los ojos con la otra mano.

—Tienes razón.

—¿Crees que ese ruido es de alguien mascando chicle? —pregunta.

—Seguro —respondo—. ¿Eres tú la que jadea?

—Intento tener una experiencia extracorpórea.

—Pues no me dejes aquí solo —contesto, y nos reímos, y, a oscuras, ella podría ser otra chica y yo otro chico. Podríamos ser dos personas nadando en música pintada.

—¿En qué piensas? —pregunta.

—En que esta fiesta me empieza a tocar los huevos.

—Estoy bastante segura de que hay una persona detrás de mí haciéndole eso mismo a alguien. Sombra no estaría en una fiesta como esta.

—Es justo la clase de fiesta en la que estaría Sombra.

—¿Tú también lo conoces?

—Me lo encuentro de vez en cuando.

—Yo estuve a punto de verlo. Y a Poeta —responde ella, y quiero decir que sí, que lo vio y no lo quiso.

—¿Ah, sí? —es lo que digo en realidad.

—Pues sí. Estuvo en el estudio de soplado de vidrio en el que trabajo. Mi jefe me mandó un sms cuando los vio. Esta noche llegué cinco minutos después de que se fueran.

Es raro que haya visto a ese viejo unas cuantas veces, pero nunca a Lucy. De vez en cuando lo observo por la ventana de su estudio, fundiendo vidrio y dándole forma.

—¿Los vio bien tu jefe?

—Me dijo que eran jóvenes y desaliñados.

—Pues a mí Sombra no me pareció desaliñado la última vez que lo vi.

Ese viejo va bastante más desaliñado que Leo o que yo.

—En fin, ¿por qué ya no estás cabreado conmigo? —me pregunta.

—¿Y quién te ha dicho que no?

—No me estás asfixiando.

—Hay mucha gente, demasiados testigos.

Pienso un momento. No estoy tan cabreado cuando no la miro. Los dos guardamos silencio un rato y dejamos que la música se enrede a nuestro alrededor.

—No podemos quedarnos así —digo después de tres canciones.

—¿Te preocupa que la cosa se vuelva incómoda?

—Me preocupa más que nos roben la cartera.

—Jazz está empeñada en quedarse. Me dijo que sacaría un material perfecto para su audición de teatro. Va a hacer un monólogo de Shakespeare, así que no sé qué inspiración pretende sacar de aquí.

Una botella se rompe cerca de nosotros.

—Si se queda lo bastante, seguro que matan a alguien —digo; ella vuelve a reírse y eso me gusta todavía más, me gusta haber sido yo el que la ha hecho reír.

—A lo mejor me voy a casa —dice—. Leo parece interesado, así que a Jazz le dará igual. ¿Crees que está interesado?

Me gusta el ambiente que nos hemos montado los dos, así que no quiero decirle que, en lo de las citas, Leo lleva en el banquillo desde Emma. No lo he oído hablar de ninguna chica desde entonces. Es normal que un tío se retraiga después de que la chica que le gusta llame a la poli.

—Puede —le digo a Lucy—. De todos modos, tiene a Daisy. No sabía que fuerais amigas.

—Es reciente. Es verdad, Jazz tiene refuerzos. Creo que me voy.

Nos hemos pasado los últimos diez minutos en un sofá que flotaba en el vacío y, mientras flotábamos, no pensaba en que estaba en la ruina ni en haber perdido a Beth, ni en que estaría en la cárcel al acabar la noche.

—Deberíamos ir a buscar a Sombra —digo, y cierro los ojos detrás de mi mano.

¿En qué estás pensando? Esta chica te rompió la nariz. La respuesta se hace de rogar. Se me ocurre retirar lo dicho, pero, al final, decido dejarlo como está.

—¿Dónde podemos buscar? —pregunta ella al cabo de un rato.

«Quien no arriesga, no gana», oigo decir al viejo Bert, así que le quito la mano de los ojos y veo que parpadea para recuperar la visión.

—Tengo un par de ideas —respondo.

Le cuento lo de los grafitis en la vieja estación de clasificación de trenes y la pista de *skate*, e intento que no se note que me emociona que ella se emocione.

Dice que espere un minuto y se abre paso entre la gente. La veo hablar con Jazz y me pregunto qué estaré haciendo. Sea lo que sea, no puedo parar. Voy tras ella y, antes de que pueda cambiar de idea, la agarro por el brazo y nos movemos a empujones entre la multitud en dirección a la ventana.

Una vez en el césped, respiro hondo un par de veces y, al hacerlo, veo a Raff y a sus colegas apartando de su camino a la pareja que se besa en la entrada principal. Mierda.

—Se me ha olvidado decirle una cosa a Leo —le digo a Lucy—. Espera un momento.

Antes de trepar por la ventana, vuelvo la mirada para observarla: está contemplando el cielo como si mantuviera una conversación con lo que hay ahí arriba.

Voy a toda velocidad y encuentro a Leo en la pista de baile.

—Raff está aquí, tienes que mantenerlo alejado de Jazz.

—Yo me encargo —responde Leo—. Relájate.

—¿Me prestas diez pavos?

Me los da y dice:

—¿Nos vemos aquí a las dos y media?

La música cambia a tecno y la fiesta entra en un trance en movimiento. O sales o te dejas llevar. «Di no», dice el viejo Bert, pero no puedo.

—Dos y media —respondo—. Recuerda, cuidado con Raff.

Me abro paso entre la gente para llegar hasta Lucy y, antes de volver a salir por la ventana, miro a Leo. No sé si le gusta Jazz o no, aunque, si tuviera que apostar, diría que sí.

Poeta

Cuarto ejercicio
Poesía 101
Alumno: Leopold Green

Recuerda el amor

Recuerda,
el amor no hace que el mundo gire,
el sexo lo hace dar un par de vueltas
si tienes suerte,
igual que las patatas fritas, las salchichas y las chicas con
minifalda.
Recuerda,
el amor
te toca el corazón
y lo sujeta
bajo el agua.
Recuérdalo
cuando la próxima te sonría.

Lucy

Espero fuera a Ed y, por primera vez en toda la noche, veo unas cuantas estrellas de verdad, unas que no tengo que imaginarme. Destellos diminutos que arden muy lejos. Dibujo sus contornos con el dedo y añado un par de ovnis. Añadir cosas al mundo es un juego al que mis padres y yo nos dedicamos cuando estamos muy mal de pelas. Imagínate lo que quieras, Lucy, porque es muy probable que no podamos permitírnoslo. Nunca me ha importado, ya que siempre han encontrado el dinero para las cosas realmente importantes, como mi vidrio. Al dice que quizá ese juego me haya convertido en una artista mejor, pero no siempre funciona. Últimamente he dibujado a mi padre viviendo en casa más de una vez.

Ed se toma su tiempo, así que me tumbo en el césped a esperar. Dibujo a Sombra en el cielo. Pelo oscuro, me parece, desaliñado, aunque sin perder el control. Desaliñado a posta. Puede que con una vieja camiseta de los Ramones. O quizá una camiseta con una impresión propia. Dibujo un bocadillo de cómic y palabras sobre arte dentro.

Dibujo a Ed a su lado, por pasar el rato. Es raro, pero no me resultaba tan difícil hablar con él cuando no lo veía. En la cita tendría que haberme puesto la mano en los ojos en vez de en el culo. A lo mejor deberíamos habernos vendado los ojos los dos. Seguro que habría resultado algo extraño, claro, aunque puede que las cosas hubieran salido de otra forma.

Uno de mis cuadros favoritos es *Los amantes*, de René Magritte. Salen dos personas besándose. Las dos tienen una sábana enrollada en la cabeza. El resto del cuadro es muy normal: el vestido de la mujer, el traje del hombre y el suave azul de las paredes que los rodean. Lo único extraño es que tienen las cabezas tapadas, que no pueden verse y que se besan a través del algodón. Aunque puede que no sea tan extraño. Puede que besarse a ciegas de ese modo sea la forma más fácil de empezar.

Envidio un poco a Jazz porque ella no necesita colocarse una sábana en la cabeza para evitar la incomodidad de la primera cita. Me abrí paso entre la gente para decirle que iba a la caza de Sombra, y ella estaba desplegando su ritmo alrededor de Leo como si lo conociera de toda la vida.

—¡Me voy con Ed! —le grité al oído.

—¿Qué?

—¡Ed! —grité más fuerte—. Nos vamos a buscar a Sombra.

Me sacó a rastras de la pista de baile para alejarnos de los altavoces.

—¿Te importa que me quede?

—¿Te importa que me vaya? —pregunté después de negar con la cabeza.

—No apagues el móvil —me dijo—. Te mandaré un sms para contarte cómo va la noche.

Después se despidió y volvió al baile. Pusieron una lenta y Leo vaciló un segundo, hasta que Jazz empezó a bailar en círculos a su alrededor. Se movía sin el menor asomo de duda en el cuerpo. Quizá me equivoque, pero me pareció que a Leo la duda le asomaba por todas partes.

«¿Y si conoces a Sombra y no le gustas?», me preguntó Jazz una vez.

La idea se me ha pasado por la cabeza un millón de veces. Gusto a algunos chicos y a otros no, pero tengo la sensación de que Sombra será de los primeros.

Saber que por fin voy a conocerlo hace que note un cosquilleo en los lugares oportunos. Ed y yo por fin lo encontraremos, y él estará pintando algo asombroso. Después de las presentaciones, Ed se irá a la fiesta o a ver a Beth, y yo me quedaré a solas con Sombra. No sé qué le diré primero, quizá simplemente:

—Me gusta el arte.

—A mí también —responde una voz.

Miro atrás y veo a un tío. Es un año o dos mayor que yo y lleva traje, aunque no de los aburridos. Es casi plateado. La combinación de traje chulo y pelo desaliñado funciona. Extiendo los cinco dedos de las manos sobre la hierba.

—Ahí dentro hay mucho ruido. ¿Te importa que me siente? —pregunta, y yo sacudo la cabeza.

—Yo también necesitaba tomar el aire.

Se tumba a mi lado y se apoya sobre el codo. El pelo le cae sobre un ojo de vez en cuando, y de vez en cuando se lo aparta. Me pilla mirándolo y sonríe. Le devuelvo la sonrisa. Nos miramos, apartamos la mirada, volvemos a mirar.

—¿Esperas a alguien? —pregunta, y lo hace de una forma que me da a entender que se refiere a si espero a un chico.

—A un amigo. Espero a un chico que se llama Ed. Solo somos amigos —repito; y, de nuevo, por si no se ha enterado, añado—: Ed y yo no estamos juntos. Vamos a salir en busca de un grafitero que se llama Sombra. ¿Lo conoces?

—No. Conozco un poco a Ed. Es amigo de Leo, ¿no?

—Sí.

Unos chicos pasan dando tumbos junto a nosotros, besándose mientras caminan.

—Ni que fuera un deporte olímpico —dice—. Tendríamos que levantar cartelitos con puntuaciones del uno al diez.

—Todos los de la fiesta sacarían buena puntuación.

—Ya te digo.

Me mira y vuelve a apartar la vista. Acaricia la hierba con un dedo, trazando lentos dibujos.

—Me gusta dibujar —dice cuando me pilla observándolo—. Bueno, ¿y por qué quieres encontrar a ese Sombra?

—Me gusta lo que hace —respondo, y él asiente; aquí pasa algo, no sé qué pasa, pero pasa algo.

—¿Dónde vas a buscarlo?

—En la vieja estación de clasificación de trenes y en la pista de *skate*.

—¿Vas ahora?

Asiento y pregunto:

—¿Quieres venir?

No me siento rara por preguntar. Me siento bien.

—Estaría bien, pero ahora no puedo. ¿Nos vemos más tarde?

—Sí, claro.

—Genial. ¿Adónde vas después de la pista de *skate*?

—Puede que a la cafetería Barry's.

—Vale —responde, sonriendo—. Así que, si quiero encontrarte, estarás en la estación, en la pista o en Barry's. —Entonces se levanta y me da la mano; después me levanta y me encuentro muy cerca de él—. Por si lo necesito, ¿me das tu número de móvil?

Noto chispas y electricidad por todas partes mientras se lo doy y él lo mete en su móvil.

—Soy Lucy —digo, para que pueda poner mi nombre al número.

—Yo soy Malcolm, Malcolm Dove.

Dove, como las palomas. Pájaros atrapados en un cielo. No sería descabellado pensar que es Sombra.

—Encantada de conocerte.

—Igualmente —responde.

Lo veo alejarse, subirse a un coche y marcharse. Por suerte, Ed tarda un rato en volver. Necesito tiempo para descargar tanta electricidad.

—¿Sombra iría de traje? —pregunto de camino a la estación.

—Ni en sueños —responde Ed.

—Pero tampoco sabes tanto sobre él.

—Eso lo sé seguro.

Estoy más incómoda con Ed que cuando teníamos los ojos cerrados, aunque no tanto como me temía. Supongo que después de romperle la nariz a un tío, estar un poco incómoda no está tan mal.

—¿Dónde está Beth? —pregunto.

—Cena con su familia todos los viernes.

—¿Y no le importa que salgas conmigo?

—Beth es una tía guay. Y tampoco es que tengamos una cita.

—No, claro, no es una cita.

Miro al cielo con la esperanza de sentirme insignificante y tener otra perspectiva de este momento de humillación.

—¿Qué miras? —me pregunta.

Nada que me ayude.

—¿Sabías que estamos hechos del mismo material que las estrellas? Somos estallidos de energía nuclear.

—No eres como las otras chicas. Lo sabes, ¿no?

—Soy consciente del problema —respondo—, pero, para que conste, hace diez minutos me estabas tapando los ojos con la mano mientras tu mejor amigo bailaba con una chica. Tú tampoco eres precisamente como los otros.

—Buena observación.

—Creo que es mejor ser distinto. Sombra es distinto.

—No lo conoces, ¿cómo lo sabes?

—He visto sus dibujos, y el arte revela mucho sobre las personas. Hay uno de una chica con un mapa de carreteras encima y un chico con el motor del coche echando humo. —Ed no dice nada—. ¿No lo pillas? Un coche averiado.

—Lo pillo: una chica lo ha dejado y el tío se lamenta.

—No creo que se lamente, pero, si lo hace, tampoco tiene nada de malo ser sensible.

Ed pone los ojos en blanco unas cuantas veces.

—Ten cuidado, te pareces a mi madre.

Él vuelve a poner los ojos en blanco.

—Vale, ¿qué? —pregunto.

—¿Cómo sabes que es sensible?

—¿Por qué saltas a la mínima?

—No salto. Déjalo. Sombra es sensible. Vamos a hablar de otra cosa. Podemos llegar a la estación de clasificación desde la de trenes.

Buena idea. Tema olvidado, chaval.

—Mi bici está en Barry's. Podemos ir en bici.

Miro la hora: las once y media.

—¿A qué hora tienes que llegar a casa? —pregunta.

—Mis padres saben que estaré fuera toda la noche. ¿Y tú?

—Tengo hasta las dos y media.

—¿Qué pasa a esa hora?

—Beth —responde con una sonrisa.

—Oh, vale —digo, y miro de nuevo a las estrellas.

No, no sirve. No consigo lo de la insignificancia.

Así que el rumor es cierto: hay sexo en la adolescencia. Si Sombra resulta ser la clase de tío que creo que es, cosa que será, quizá pueda hacer algo más que leer encuestas sobre el tema. Nos conoceremos, encajaremos, pasaremos toda la noche hablando, y todo brotará de mí y entrará en él, y al revés, y, mientras brotamos, la noche acabará, el mundo se volverá rosa y, rodeados de rosa, me besará. Seguiremos arrancándonos trocitos el uno del otro hasta llegar al centro y, entonces, lo haremos, y no dará miedo ni resultará raro.

—Lo haría con Sombra —digo, imaginándome besar a un chico que se parece a Malcolm Dove.

En cuanto lo digo, me concentro mucho, mucho e intento doblegar las leyes del tiempo con mi mente. No, no hay suerte. El comentario más estúpido del mundo sigue en el aire.

Las cejas de Ed adquieren vida propia.

—¿De verdad? —pregunta, y se ríe.

—¿De qué te ríes?

—De nada. Puedes hacerlo con quien quieras.

Se ríe un poco más mientras se da palmadas en las piernas siguiendo el ritmo de las carcajadas. Me dan ganas de volver a romperle la nariz.

—Vale, ha sido una estupidez, pero no me digas que tú no has pensado nunca en hacerlo con alguna chica.

—No solo lo he pensado.

—Quería decir que has pensado en hacerlo con alguna chica con la que no lo has hecho.

Hace un segundo pensaba que la situación no podía ser más humillante, pero creo que me equivocaba.

—He pensado en hacerlo con algunas chicas que conozco, claro. Pero tú no conoces a Sombra.

—Como si Angelina Jolie no se te hubiera pasado por la cabeza.

—Al menos la he visto.

—Vale, de acuerdo, no he visto a Sombra. He conocido a alguien que lo ha visto y eso es casi lo mismo.

Ed vuelve a reírse.

—La verdad es que creo que lo he conocido en la fiesta.

—¿Gorila? —pregunta él, arqueando las cejas más de lo que yo hubiera creído posible.

—No, Gorila, no, otro tío que conocí fuera. Tenía pinta de artista, era simpático y llevaba un traje muy moderno.

—A mí no me suena a Sombra.

Vuelvo la cabeza para dejarle claro que no pienso hacerle caso. No es necesario que me haga sentir tan estúpida, tampoco es que haya dicho que lo haría con el señor Darcy. Bueno, en realidad sí que lo he dicho, pero hace un tiempecito, cuando no tenía la madurez de la que disfruto ahora.

La primera vez que Jazz se quedó a dormir en mi casa hicimos listas de personas con las que lo haríamos. Ella miró la mía y comentó:

—Son todos personajes de ficción.

—¿Y qué pasa?

—Pasa que necesitas como mínimo una persona real. ¿Con qué persona real lo harías?

—Con Sombra.

—Supongo que un grafitero invisible es un poco mejor que un personaje ficticio.

—Es visible, lo que pasa es que todavía no lo he visto.

Ed y yo no decimos nada durante el resto del camino hasta la estación. No decimos gran cosa mientras esperamos al tren. Él se ríe de vez en cuando y, de vez en cuando, sopeso la idea de romperle la nariz.

Cuando llega el tren y nos sentamos el uno frente al otro, vuelvo a pensar en el señor Asomo de Duda en la pista de baile.

—¿Leo es buen tío?

—Es mi mejor amigo desde primaria —responde Ed, y apoya los pies en el asiento que tengo al lado.

—Pero ¿es buen tío con sus novias?

—No ha tenido ninguna desde hace tiempo, desde Emma.

—¿La chica de los... ojos enormes?

—Esa misma —responde, esbozando lentamente una sonrisa—, la chica de los... ojos enormes. Que también era lista y simpática, por cierto. Y dura. Me gustaba.

—¿Por qué rompieron?

—No lo sé.

Lo sabe, pero no me lo dice, aunque me parece bien. El problema es que he dejado a Jazz en una pista de baile a oscuras con ese tío, así que quiero saber si tengo que advertirla. Por mucho que a Jazz le guste pensar que es una tía dura, la he visto llorar con *El diario de Noa*.

—Entonces, desde que rompió con Emma, ¿solo sale con chicas para acostarse con ellas?

—No es un mentiroso, Jazz sabrá de qué va antes de que pase nada.

—Si es que pasa algo —respondo, porque no quiero que ni Leo ni él piensen que Jazz ya ha tomado una decisión; creo que no lo ha hecho, aunque quizá me equivoque y, en cualquier caso, no quiero que Leo crea que lo tiene todo ganado.

—Vale, cambio la frase: si pasa algo, antes sabrá de qué va.

Me imagino el momento y lo que sentirá Jazz: estará nerviosa y emocionada, con la esperanza de pasar los días siguientes con Leo; los días caerán como piezas de dominó dentro de su cabeza y, justo entonces, Leo le explicará de qué va.

—Eso es horrible —afirmo.

—¿Ser sincero con ella es horrible?

—Es horrible que sea sincero con ella al final. Tendría que serlo desde el primer segundo.

—¿Cómo? ¿Hola, me llamo Leo y, por cierto, solo quiero sexo?

—¿Solo quiere eso?

—Yo no he dicho eso, estaba inventándome una situación. A mí me ha parecido que Jazz le gustaba.

Saco el móvil.

—Es mejor que los dejes en paz —me dice—. Leo es mejor tío de lo que cree la gente.

—A mí no me lo parece —respondo mientras marco el número de Jazz.

—¡Lucy! —me grita ella—. Esta fiesta es alucinante. —El teléfono se llena de música y sé que lo está poniendo en alto para que lo oiga—. Por fin tengo una vida emocionante. ¿Cómo va con Ed?

—Bien. Oye, Jazz, ten cuidado con Leo.

—¿Por qué? ¿Qué sabes?

—Nada, es que te he dejado ahí sola. El plan era quedarnos juntas.

—Deja de preocuparte por mí, diviértete.

Me sopla algo, imagino que un beso, y cuelga.

Ed vuelve a poner sus cejas en acción.

—Te has cabreado otra vez —digo.

—Sigo sin asfixiarte.

—No entiendes cómo se sentirá Jazz. Yo sí sé lo que es sentirse decepcionada. Ya sabes, después de la sangre y los huesos rotos de nuestra... lo que fuera.

Las cejas de Ed se desbocan.

—Vale, la sangre era tuya —reconozco—. Imagino que también estarías un poco decepcionado.

—¿Tú crees?

El tren se detiene en nuestra estación y nos colocamos frente a la puerta, pero no se abre. El conductor anuncia por megafonía que tienen un pequeño problema técnico y que podremos salir pronto. Me lo imagino en la sala de control, apretando todos los botones sin éxito. «Aprieta más botones», pienso mientras Ed y yo nos quedamos mirando la puerta. Esto podría ponerse incómodo.

A través del cristal veo parte del dibujo de Sombra flotando en el cielo.

—Irónico —digo, aunque sin esperar que Ed lo capte.

—¿El qué? ¿Que estamos encerrados en un tren mirando un cielo pintado a través del cristal? ¿O que hemos vuelto a donde empezamos?

—Las dos cosas, supongo.

—Que no sepa quién es Atticus Finch no quiere decir que sea estúpido.

—No dije que fueras estúpido.

—Sé lo que es la ironía.

—Vale.

—¿Por qué quisiste ir al cine conmigo si ni siquiera te gustaba?

—Fue un accidente.

—¿Dijiste que sí por accidente?

—No, dije sí a propósito. Lo otro fue un accidente.

—Ni siquiera me llamaste a un taxi. ¿Sabes lo que duele una nariz rota?

—Sigues cabreado conmigo.

—Claro que sigo cabreado. Ni siquiera me llamaste para ver cómo estaba. Después de esa clase de accidentes, la gente suele llamar para disculparse.

—Ahí tienes razón —digo, porque la tiene: ¿cómo es posible que no se me ocurriera llamar? ¿Por qué no le busqué un taxi? Podría haber llamado a mi padre—. Ni siquiera se me ocurrió llamar —digo, y las cejas de Ed se arquean tanto que tengo que dar un paso atrás—. Pero vomité. Creo que eso demuestra arrepentimiento de verdad.

—¿Vomitaste? —pregunta, bajando las cejas.

—Cuando llegué a casa. Apenas me dio tiempo a agarrarme al fregadero. Tuve que tirar mi ropa.

De nuevo guardamos un silencio que solo los astronautas podrían comprender.

—Qué pena —dice Ed—. Me gustaba mucho la camiseta que llevabas.

—¿Te acuerdas de mi camiseta?

—Lo recuerdo todo hasta que me pusieron la anestesia.

—Lo siento. Siento haberte roto la nariz y siento mucho no haberte buscado un taxi.

—Y también que no me llamaras para preguntar.

—Sí, lo siento.

Ed se apoya en la pared del vagón y cruza los brazos.

—Yo siento haberte agarrado el culo.

—¿Y qué tiene de malo mi culo, chaval? —suelto sin poder reprimirme.

Cejas arqueadas, puertas abiertas.

—Ya está —dice el conductor por los altavoces.

—Si Jazz se parece a ti, el que va a tener problemas va a ser Leo —dice Ed, y me deja salir primero al exterior, lo que, debo decir, casi que me gusta.

Poeta

Pista de baile
23:45

Quizá

Quizá tú y yo,
quizá tú y yo,
quizá tú y yo,
aunque seguramente no.

Quizá pase más de una noche contigo,
quizá pase más de una noche contigo,
quizá pase más de una noche contigo,
aunque seguramente no.

Quizá la olvide,
quizá la olvide,
quizá la olvide,
aunque seguramente no.

Ed

—Vomité —dice Lucy, y yo me siento jacarandoso.

Bert me enseñó esa palabra y a mí me gusta. Después de mi primera cita con Beth, mi jefe hizo una serie de dibujos en los que se me veía jacarandoso. Cuando Bert pasaba las páginas, el tío pequeñito de los dibujos daba unos cuantos saltitos en el aire. «Así me sentía yo cuando empecé a salir con Valerie», me dijo.

Esta noche me apetece dar unos cuantos saltitos en el aire: a Lucy le gustaba lo suficiente como para vomitar.

—Yo siento haberte agarrado el culo —le digo.

—¿Y qué tiene de malo mi culo, chaval? —pregunta ella, y sonríe con ese ritmo propio, y veo la peca del cuello y siento el impulso casi irrefrenable de tocársela. Pero no lo hago porque la definición de locura es hacer prácticamente lo mismo dos veces y pretender obtener un resultado distinto.

Me siento jacarandoso y me conformaré con eso. No se te ocurra pedir más. Disfruta de caminar junto a ella. Disfruta enseñándole tus obras y oyendo lo que piensa de ellas. Disfruta despidiéndote antes de robar en su instituto. Este último pensamiento me desjacarandiza un poco. El rostro de Bert flota dentro de mi cabeza y me dice que los ladrones no se merecen tanta jácara.

—Entonces, estamos en paz —dice Lucy de camino a Barry's.

—Nunca estaremos en paz, pero estamos más en paz que antes.

Seguimos caminando; cada vez hay menos gente en la calle, hasta que solo quedan unas cuantas personas dispersas. De vez en cuando esquivamos a un tío que sigue sin ir a ninguna parte desde la noche anterior, aunque está decidido a llegar allí esta misma noche. Leo nunca pasa al lado de uno de esos borrachos sin darle dinero, incluso cuando solo le quedan unas cuantas monedas en el bolsillo. Él no ha vuelto a su casa desde el día en que se mudó con su abuela. Él dice que allí no le queda nada por lo que volver, pero no creo que sea tan sencillo. Supongo que las monedas que da a los borrachos de la calle son su forma de decir que siente no poder enfrentarse al zoo de su casa.

—¿Te has dado cuenta alguna vez de cómo cambia de forma la noche? —le pregunto a Lucy—. Empieza llena de gente y ruido, y después se va quedando vacía hasta que, al final, no hay casi nada más que tú.

—¿Pasas muchas noches despierto?

—No muchas, es que empiezo a trabajar temprano.

O empezaba. Desde que perdí mi trabajo hace un mes, la necesidad de pintar me ha dado tan fuerte que a veces me paso fuera media noche. Duermo hasta las tantas y paso la tarde en los museos de la ciudad. Bert y yo íbamos por allí algunos sábados por la mañana. Nos llevábamos los blocs y tomábamos nota de las cosas que nos gustaban. Comíamos en el parque y nos íbamos a casa. Nunca me cansaba de estar con Bert. Nunca me cansaba de observar cómo sus viejas manos dibujaban el mundo.

—Mi bici sigue ahí —dice ella, señalando adelante—. En este sitio nunca se sabe. Si te dejas algo, a lo mejor no está cuando vuelves.

El candado de su bici es del tamaño del chihuahua que tuve, y le comento que es muy poco probable que alguien vaya por la calle con unas cizallas de ese tamaño.

—Me gusta mi bici. Quiero mantenerla a salvo —responde, y se abrocha el casco, que es azul con un relámpago en el lateral.

Pienso en un dibujo: una chica con forma de relámpago en el cielo y un chico en el suelo, intentando atraparla con un pararrayos.

—¿Y también te gusta ese casco? —le pregunto.

—Mi casco no tiene nada de malo, chaval —afirma, y señala dos grandes escalones en la parte de atrás de la bici.

—¿Tienes... cacharros de entrenamiento? ¿Qué es eso?

—Plataformas para los pies. Mi padre las puso para que las usara mi primo. Sube.

—Pero yo no tengo un casco guay con un relámpago.

—Con esa cabeza tan dura que tienes, no te hace falta.

—Qué graciosa —respondo, y me coloco sin tocarla.

—A la estación —dice ella, y empuja los pedales, pero no nos movemos.

—Cuando tú quieras —le digo—. Ya sabes, mientras sigamos siendo jóvenes y guapos.

—Pesas una tonelada —se queja ella, empujando con fuerza.

—¿Quieres que conduzca yo?

—Solo necesito impulso. Baja.

—Eres un encanto, seguro que te lo dicen siempre.

—Que te bajes —repite ella—. Yo pedaleo, y tú corres detrás y te subes de un salto a la bici.

—Los tíos nunca te piden una segunda cita, ¿verdad?

—Solo los que tienen huevos.

Me bajo. Se aleja pedaleando y yo persigo sus faros por la calle.

—¡Date prisa! —me chilla—. ¡Si freno, pierdo el impulso!

Corro todo lo que puedo hasta que casi estoy a punto de tocar la parte de atrás de la bici.

—¡No soy Superman! —le grito.

Lucy reduce un poco, y yo doy un gran salto, pero caigo sobre hormigón. Seguimos así un rato, yo corriendo, saltando, cayendo y preguntándome por qué hacer esta tontería sirve para probar que tengo huevos.

—Es imposible subir así.

—Inténtalo una última vez —me dice.

Una vez más y se acabó, pienso, así que corro, chillando todo el rato como si eso sirviera para darme más velocidad. Ella frena un poco, yo salto y aterrizo con un pie dentro, un milagro.

—¡Un milagro! —grito.

—Por fin.

—Que sepas que el hermano de Leo me va a buscar un coche cuando me saque el carné y que pienso hacerte subir así.

—¿Es que vas a llevarme en tu coche?

—Si tu capacidad aeróbica está a la altura, claro que sí. Tuerce a la izquierda. Vamos a Fraser Street, ¿sabes dónde es?

—¿Detrás del instituto?

—Sí.

Cierro los ojos y dejo que el movimiento me lleve a otra parte, dejo que los muros entren en mi cabeza como suelen hacerlo cuando noto espacio a mi alrededor. Quizá después vaya a alguna parte para pintar la oscuridad que se esconde ahora mismo detrás de mis ojos. Una oscuridad llena de los ruidos de la ciudad y la respiración de Lucy.

—Esto no está mal —digo—. Es como si no estuviéramos aquí de verdad.

—No te pongas cómodo. Si hay cuestas vas a tener que bajarte y caminar.

—No hay cuestas. No te llevo a un sitio difícil de acceder —respondo; mis mejores obras están escondidas en los muelles y dentro de fábricas viejas—. Te llevo a muros de Sombra a los que podemos llegar sin problemas. Ahí.

Bajamos, ella cierra su candado tamaño chihuahua y entramos en la estación de clasificación de trenes. Paseamos entre los vagones muertos y cubiertos de mis pensamientos nocturnos y los de Leo. Osos polares que acercan cerillas a los glaciares, pintados después de que Leo oyera a un político decir que los humanos no habíamos provocado el calentamiento global: «Tienes razón, han sido los animales». La Tierra vestida con un jersey hecho a mano y un gorro de lana: «A lo mejor por eso estamos más calientes». Leo tuvo un buena racha medioambiental y a mí no me importaba hacerle dibujos. Entendía algunas de sus cosas, aunque otras no. Pasamos al lado de uno de sus poemas, *La vida interior*, y Lucy se detiene un momento para leerlo. Es como si Lucy caminara por mi cabeza, y me siento raro, como si estuviéramos en uno de mis sueños.

—A veces es como un poeta —dice—. Y otras veces es como un comentarista social.

—Supongo.

Nunca lo había pensado. Últimamente escribe cosas más largas, pero me imagino que es porque tendrá más que decir. Algunos días, Leo quiere hablar de lo que ha oído en su clase de Filosofía, y otros quiere sentarse en silencio y comerse un rollito de salchicha.

—Es la primera vez que vengo —comenta Lucy.

—Yo me paso de vez en cuando a ver estas cosas. Algunas son muy chulas.

—¿Te gusta el grafiti? —pregunta ella, alejándose hacia el siguiente vagón antes de que pueda responder.

—Me gustan algunos. Otros no me gustan —respondo, pero ella no me escucha.

Miro por encima de su hombro una obra que hicimos Leo y yo hace un tiempo, por reírnos un rato. En la primera imagen hay un tío haciendo dedo en una autopista, en la segunda sale otro tío recogiéndolo y, en la tercera, el coche alejándose. En la matrícula pone: «Psicópata». Me río entre dientes. Se le ocurrió a Leo. Yo solo estaba pintando a un tío que se escapaba.

—¿Ves? —dice ella—. Es gracioso.

—No he dicho que no lo fuera —respondí mientras nos acercábamos al siguiente vagón—. Entonces, ¿te gusta porque es gracioso?

—Me gusta porque es listo. Además, los dos somos artistas, así que tenemos algo en común —añade, tirando de su muñequera—. Al lleva casi dos años enseñándome a soplar vidrio. Me ha ayudado a terminar mi muestra de trabajos.

—¿Cómo es lo del vidrio?

—Mola tener una idea y darle forma con las manos, ¿entiendes?

—Supongo —respondo, aunque lo que querría decir es que sí, que lo entiendo; lo entiendo perfectamente a última hora de la noche, cuando se me ocurre una idea y no puedo dormir hasta que la saco y la pongo en un muro.

—Al hace unos móviles que cubren todo el techo, como flores colgando del cielo. Se chocan unos con otros y, como tienen distintos tamaños y grosores, hacen ruidos distintos. Es como un techo lleno de flores que cantan.

Una vez miré a través de la ventana de su estudio y me pareció que eran nubes de trompetas. Me gustan todavía más ahora que sé que hacen ruido. Desde fuera no podía oírlo.

—Las he visto —digo antes de darme cuenta.

—¿Dónde?

Toso para darme un poco de tiempo y pensar.

—En la ciudad. Hay unas cuantas tiendas de vidrio cerca de la tienda de pinturas.

—Sí, expone en casi todas las galerías que tienen objetos de vidrio.

Pienso en lo genial que estaría exponer en alguna parte. Sé que la mayoría de los que pintan en muros dice que no necesita galerías, pero a mí no me importaría tener una habitación blanca en la que colgar mis obras. Bert y yo fuimos una vez a una exposición de Ghostpatrol, un artista callejero que también expone. Bert dijo que yo podría estar allí, y yo respondí que siguiera soñando. Él dijo que soñar era la única forma de llegar a alguna parte.

—¿Y cómo es tu muestra? —pregunto.

—Son cinco botellas que se llaman *La armada de la memoria*. Al me ayudó con el nombre. Dentro de las botellas hay cosas que me gusta recordar. Se supone que son como esas botellas que tienen un barco atrapado dentro.

—¿Y qué has metido dentro?

—Cosas que recuerdo. Por ejemplo, en una hay una capa y una varita diminutas que me recuerdan a cuando tenía diez años. Mi madre cosió varios disfraces para ella y para mí, para poder actuar en el número de magia de mi padre. Es un humorista, pero a veces saca dinero extra haciendo cumpleaños para críos. Mi madre y yo nos metimos en la caja, mi padre dio un golpecito y, cuando abrió la cortina, habíamos desaparecido; después dio otro golpecito y aparecimos otra vez.

—¿Cómo fue? ¿Salisteis por una puerta trasera?

—Ese es el tema. Yo lo recuerdo como si de verdad hubiésemos ido a otra parte. Vamos, que sé que había truco, pero, entonces, mi madre sabía lo que era y yo no. Lo recuerdo como si mi padre lo hiciera de verdad.

—Mi padre también era mago: se subió a su coche y desapareció.

—Oh —responde ella, y pone una cara rara.

—No te preocupes, lo hizo antes de que yo naciera. Mi madre está bien.

Seguimos andando por la estación, parándonos de vez en cuando para mirar algo que Leo y yo pintamos.

Lucy se detiene delante de uno que no quiero que vea. El océano blanco no tiene nada gracioso. Hay un ritmo en la pintura, como si el agua intentara recuperar el aliento. *El mar decepcionado*, escribió Leo debajo.

—¿Alguna vez te sientes así? —me pregunta—. ¿Como aplastado por los bordes?

Me encojo de hombros, no quiero entrar en ese tema esta noche.

—Lo que de verdad me decepciona es que *Veronica Mars* no pasara de la tercera temporada —respondo—. Y que no hagan los Turkish Delights en tamaño familiar.

—Ahora sí los hacen.

—Qué gran noticia.

—A mí me gustaría que sacaran los Freddos de menta en tamaño familiar, pero no pasará jamás.

Ahora que lo pienso, es curioso que no haya.

—Tienes razón, ¿por qué no hacen esas chocolatinas más grandes?

—Es un misterio.

—Podrías comprar tres, fundirlos y congelarlos —sugiero.

—Sería pringoso.

—Pero seguiría siendo chocolate y seguiría sabiendo igual.

—Supongo, pero me gustan mis Freddos ordenaditos, con la menta dentro.

—Tienes una visión muy fundamentalista sobre lo de dentro y fuera.

—Efectivamente —responde ella, y me gusta que pueda hablar de arte y de Freddos en la misma conversación; me gusta la idea de su armada de la memoria, de cosas embotelladas para que no puedan alejarse flotando.

Nos alejamos del dibujo y vamos a por la bici.

—Siempre me he preguntado cómo metían esos barcos dentro del cristal.

—Al me enseñó —me explica—. Primero haces la botella o la compras. El barco se mete después. Lo fabricas fuera, con mástiles plegables. Colocas un mar de masilla en la botella y después metes el barco por el cuello y levantas las velas cuando está dentro. Así metí yo mis recuerdos. Los hice pequeños y plegables. Creo que me gustaban más esas botellas cuando eran misteriosas, antes de saber cómo funcionaban.

Le falta un trocito de la paleta; pienso que estaría bien acariciar el borde con un dedo. Pero después pienso en la posibilidad de que descubra que soy Sombra; pienso en lo decepcionada que estaría, porque soy un tío que no va a ninguna parte, no un tío sensible, listo y gracioso. Pienso en que ella irá a la uni y trabajará el vidrio, mientras que yo me quedaré aquí pintando en las paredes e intentando pagar el alquiler.

—Te puedo enseñar cómo se mete el barco en la botella, si quieres —me dice.

—No sé, parece mucho lío para un barco que no va a ninguna parte.

Poeta

Ejercicio 5
Poesía 101
Alumno: Leopold Green

La vida interior

Dentro de él hay una alambrada
y detrás de la alambrada hay un perro
y detrás del perro hay ladrones
y detrás de los ladrones
hay una banda de malos sueños
y detrás de los sueños,
si consigues ver detrás de los sueños,
está lo que lo hace vivir,
vivir, vivir, vivir.

Lucy

Ed y yo caminamos entre los vagones, y estoy en un mundo de Sombra que ni siquiera sabía que existiera. Me lo imagino aquí solo, pintando al rubor de la luz que llega de la calle de al lado, y deseo encontrarlo más que nunca. De vez en cuando creo que está aquí, porque, a oscuras, Ed es como una sombra que otra persona proyecta.

Le cuento a Ed las cosas que quiero contar a Sombra. Le hablo de mi muestra de trabajos, de *La armada de la memoria*. Las botellas están llenas de cosas que recuerdo de mis padres, de antes de que se pusieran raros con lo del cobertizo.

En la botella número dos hay un pez de arcilla. Es lo bastante pequeño como para entrar por el cuello de la botella, ya que algunas cosas no se pueden plegar. Está en la armada de la memoria porque antes íbamos de acampada a Wilson's Promontory. Mi madre fingía cocinar lo que mi padre pescaba, aunque, en realidad, los peces no tenían suficiente tamaño, así que compraba la cena en el puesto de pescado con patatas fritas y todos hacíamos como si aquel pez hubiese salido del océano. Mi padre fingía tan bien que siempre me dejaba con la duda de si sabía la verdad o no.

En la botella número tres hay unas cuantas cosas pegadas en la masilla: la esquina de una página del manuscrito de mi madre, un trocito diminuto de mi cristal y un chiste de uno de los números de mi padre. «El arte es más importante que el dinero, Lucy —me dijo mi madre cuando le conté que Al se había ofrecido a darme clases—. Ya veremos cómo lo pagamos, no te preocupes por eso.»

Le cuento a Ed lo de los colores del estudio de Al, las flores que cuelgan del techo. Lo ayudé a hacer las flores. Yo le daba vueltas a la caña mientras él soplaba por el extremo, y los dos observábamos cómo el vidrio derretido se convertía en pétalos.

Algunos días me gustaría quedarme en el estudio y no volver a casa. Quiero quedarme con las flores porque la luz que las atraviesa convierte el estudio en un cielo color pastel, mientras que el cobertizo donde vive mi padre se está cayendo a trozos. Pega bolsas de plástico en las ventanas para que no entren los insectos y la lluvia.

—Mi padre también era mago: se subió a su coche y desapareció.

Lo dice como si no le importara y seguimos moviéndonos entre los dibujos, hacia el centro de la estación, hasta que ya no queda más sitio al que ir que la última obra. *El mar decepcionado*, ha escrito Poeta. Yo me siento así cuando mi padre sale del cobertizo por las mañanas, en bata y zapatillas, cargado con su pequeño neceser.

—¿Alguna vez te sientes así? —pregunto—. ¿Como aplastado por los bordes?

No sé qué esperaba que respondiera Ed, pero no era que se pusiera a hablar de *Veronica Mars* y chocolatinas. Me gusta que pueda hablar de arte, chocolate y televisión, y me gusta que no resulte incómodo. Al menos, hasta que me ofrezco a enseñarle a meter un barco en una botella y él me responde que es una pérdida de tiempo. En el arte no hay nada que sea una pérdida de tiempo. «Hay que perder el tiempo para llegar a alguna parte», siempre dice Al.

Sombra y yo lo habríamos sabido. Él me habría dicho que sí, y habríamos ido al estudio de Al para ver mi trabajo y hacer barcos plegables que navegan sobre masilla. Me lo imagino con su traje plateado, apoyado en su barco, izando con cuidado las velas.

—No hace falta que vengas conmigo a buscar a Sombra —digo cuando volvemos a mi bici—. Puedes irte. O te puedo llevar a casa de Beth, si quieres —añado, poniéndome el casco.

Él se me queda mirando un rato, lo suficiente para ponerme nerviosa. Después se encoge de hombros.

—Si quieres, puedes dejarme en la parada del tren —responde, y se agacha como si fuera un corredor—. Vale, estoy listo. Tira.

—Te estás riendo de mí.

—Qué va. Es un reto.

Tiene una pinta tan estúpida que anula mi estupidez, así que me rindo, arranco, y él corre y consigue subirse a la bici al segundo intento.

—Ha sido mucho más fácil —comento.

—La próxima vez corres tú y me cuentas qué entiendes por fácil.

Mi madre dice que tenga cuidado con los chicos que no se toman nada en serio. Mi padre dice que un chico necesita sentido del humor para sobrevivir a su vida amorosa. Jazz dice que mi padre debe de necesitar sentido del humor para sobrevivir a su vida amorosa, teniendo en cuenta que vive en el cobertizo.

—Bueno, ¿a quién más le has roto la nariz desde nuestra cita? —pregunta Ed.

Hago como si contara, no quiero decirle que he tenido un total de cero citas desde aquello. Me he dedicado a buscar a Sombra, lo que, según Jazz, podría resultar patético a más de uno.

—¿Tantos? —pregunta Ed.

—Vale, bueno, David Graham me pidió salir. Dije que sí, pero lo retiré cuando le oí decir en clase de Arte que cualquiera podría pintar la mierda que había visto en la exposición de Picasso. Si piensa eso, es que es un estúpido.

—Es una estupidez, sí. *Mujer con cuervo*. Eso no podría pintarlo cualquiera.

La noche pasa rodando junto a nosotros, luces, calles y árboles.

—¿Te gusta ese cuadro? —pregunto—. ¿Conoces ese cuadro?

—No sé de qué te sorprendes.

—No es eso, es que pensaba...

—¿Que el arte es un club secreto al que solo podéis pertenecer Sombra y tú? —dice él, terminando la frase por mí.

—No.

Puede. No lo sé. Estoy sorprendida. Si de verdad le gustaba tanto el arte, ¿por qué no dijo nada en nuestra cita? ¿Por qué se fue del instituto y me dejó tirada en medio de nuestro trabajo sobre Jeffrey Smart?

—¿Fuiste a la exposición? —pregunto.

—Bert y yo fuimos a ver ese cuadro. A Bert le gustaba que pareciese como si la mujer estuviera enamorada de un mal pájaro. «Enamorada de los malos tiempos», decía.

—¿Quién es Bert?

—Mi antiguo jefe de la tienda de pinturas. Murió hace dos meses. Infarto en el pasillo tres.

—Qué mal.

—Mejor que un infarto en el pasillo cuatro, que es donde tenían el papel pintado. Bert odiaba ese pasillo, pero era lo que daba dinero. Murió mirando los rojos oscuros.

—Supongo que, si tienes que morir, es mejor ver algo bello al final.

—Sí.

—¿Lo echas de menos?

—Era un buen tipo. Me pagaba más de lo que podía permitirse, aunque no me enteré hasta después del funeral. Me enseñaba cosas. Y hacía unos dibujos que eran una pasada. Para un momento.

—Si dejo de pedalear tendrás que correr otra vez.

—Lo sé, para un segundo.

Lo hago y él saca un bloc de su bolsillo. Las hojas están dobladas y sucias por los bordes. Nos apoyamos en la valla de alguien y él se me acerca.

—Mira —dice, y pasa las páginas deprisa; veo a un tipo pequeñito dando un par de saltitos en el aire.

—Es una pasada.

Ed me enseña todas las animaciones: dos tíos bebiendo cerveza; un perro rodando por el suelo y haciéndose el muerto; un tío en un mostrador atendiendo a una mujer; un hombre de rodillas, declarándose.

—Es Bert pidiendo a Valerie que se case con él —dice Ed, y me gusta que sonría al decirlo; me gusta la forma en que sostiene el bloc, como si todos esos dibujos valieran más que el dinero.

El último es de un tío en un coche despidiéndose con la mano y alejándose. Ed vacila.

—Lo dibujó el día que murió. Soy yo, con mi carné de conducir.

—¿Cómo sabes que eres tú?

Ed se acerca el dibujo a la cara para que compare. La verdad es que hay bastante parecido, sobre todo en las cejas.

—Además —me explica—, Bert me estaba ayudando a prepararme el examen. —Pasa unas cuantas hojas más, y un chico sonríe y saca un carné por la ventanilla—. Suspendí una vez, pero Bert ya estaba haciendo planes para que volviera a examinarme y pudiera conducir la furgoneta de los repartos.

—Todos suspenden una vez, como mínimo.

—Eso he oído —responde él, y volvemos a mirar el bloc.

Se detiene en uno de Bert bebiendo cerveza al sol y pasa las hojas rápidamente unas cuantas veces para verlo alzar el vaso.

—¿Qué crees que hay al otro lado? —me pregunta.

—No estoy segura. Jazz dice que volvemos y tenemos una segunda oportunidad para hacer bien las cosas.

Ed mira a su alrededor.

—Espero no volver a este mismo sitio.

—¿No te gusta vivir aquí?

—¿A ti sí?

—Me gusta cómo es por la noche. Me gustan el puente y las luces de los coches moviéndose por la oscuridad. Antes, mis padres y yo lo cruzábamos en coche a menudo porque a mi padre le gusta la vista.

—Eso es un poco raro —comenta Ed.

Asiento con la cabeza. Y no es lo más raro de nosotros. Hace tiempo que no cruzamos el puente en familia, aunque mi padre y yo vamos a veces. Una vez me llevó para invitarme a un helado en South Melbourne después de que yo lo viera clavar un letrero con un número en el cobertizo.

—¿132a? —le pregunté—. Los tres vivimos en el 132 —añadí, señalando la casa.

—Sí, pero el repartidor de pizzas se confunde siempre. No frunzas el ceño, Luce —dijo él, y seguimos cruzando el puente, y el mundo que durante el día estaba sucio parecía lustroso y salpicado de luz bajo nosotros.

—¿Cuándo vuelves a la casa?

—Pronto —respondió él.

—Jazz dice que os vais a divorciar.

—Pues Jazz se equivoca. Si nos divorciáramos, se lo diría. ¿Estaría viviendo en el patio y pasando tiempo con tu madre todos los días si nos fuéramos a divorciar?

—No —respondí mientras dejábamos atrás las vallas publicitarias, que desaparecían demasiado deprisa para leerlas.

Aquella noche pedí a mi padre que me dejara en el estudio de Al y empecé mi cuarto barco de la armada de la memoria. Lo fabriqué con palillos de dientes y cerillas. Aplasté trocitos de cristal en masilla negra para que parecieran luces nocturnas. Compré un coche de juguete e hice tres personitas diminutas para meterlas dentro. Fue la botella que más tiempo tardé en hacer, y Al no se lo podía creer cuando acabé.

—Es como si hubieras encogido el mundo para encerrarlo en una caja de cristal.

Ed cierra el bloc y nos quedamos mirando la calle.

—¿Sabes algo de tu padre? —le pregunto.

—Qué va. Mi madre dice que tuvieron una gran pelea antes de que se fuera. Ella tenía dieciséis años y estaba contándole lo del embarazo, y él salió corriendo y dejó un agujero con forma de padre en la pared.

Me río, pero paro de repente.

—En realidad, no tiene gracia.

—A mi madre no pareció importarle, dice que se lo imaginaba.

—A mí sí me importaría enamorarme de un chico lo bastante como para acostarme con él y que después se fuera porque estoy embarazada.

—No tienes que estar enamorada de alguien para acostarte con él.

—Ya lo sé —respondo, y mi cara se pone a lanzar más fuego que una estrella—. Pero sería bonito que pasara así. Que la gente permaneciera junta.

—Ve a ver a los padres de Leo. Que esos dos sigan juntos no tiene nada de bonito.

—Daisy me dijo que vivía con su abuela.

—Pues sí que hablasteis en el servicio.

—Como si vosotros no hubieseis hablado de nosotras en el servicio.

—Hablamos sobre los peligros de salir con vosotras —responde, y la verdad es que suena creíble.

—Pues más o menos de eso hablamos nosotras —afirmo, lo que también parece bastante creíble—. Daisy dijo que a lo mejor Leo tuvo un problema con la policía.

—No hubo cargos. Leo es un buen chico.

—¿Y sus padres no?

—Bebían demasiado, creo. Hace muchos años que no vive con ellos.

Fin de la historia, quiere decir, y me parece justo. Puede que mis padres me resulten raros, pero, al menos, yo veo a mi padre todos los días y quiero seguir viéndolo todos los días. Vale, tuve que leerle la normativa de sanidad para que dejara de orinar en el césped por las mañanas, aunque era una falta bastante menor.

Ed se queda callado un rato y, de repente, noto el soplo de su risa.

—¿Qué?

—Nada, estaba pensando... Me pegaste porque querías al señor Darcy y yo no lo era.

—¿Sabes quién es el señor Darcy?

—Existo, luego sé quién es el señor Darcy. Beth estudió el libro en Literatura este año. Me obligó a ver la película con ella una y otra vez. Se la conocía del derecho y del revés, y también sus otros libros.

—Parece lista.

Intento que suene a comentario superficial, pero, curiosamente, todo lo que digo sobre Beth me sale más profundo que un pozo sin fondo.

Ed me mira y noto que ha oído el tono raro de mi voz, aunque él tampoco está seguro de qué hace ahí.

—Es lista —responde mientras vuelve a pasar las hojas del bloc, haciendo que la gente vaya más deprisa y después más despacio—. Es más lista que yo, eso seguro.

—Tú eres listo —digo, mirando sus manos en movimiento.

Él pone sus cejas en acción.

—¿Y tú cómo lo sabes?

Me lo pienso; lo sé, lo que no sé bien es por qué lo sé.

—¿Ves? —dice antes de que pueda responder—. No lo sabes.

—Eres gracioso, y no puedes ser gracioso si eres tonto. Mi padre dice que es más difícil hacer reír que hacer llorar.

—Porque siempre puedes pegarle un puñetazo a alguien para hacerlo llorar.

—Exacto.

—¿Y es posible que haya visto el número de tu padre en alguna parte?

—No. Vamos, a no ser que vayas por los clubs nocturnos donde tienen noches de micrófono abierto —respondo; miro a Ed, con sus vaqueros viejos y sus botas con punta de acero, y pienso en cuando se saltaba las clases con los otros *aliens*—. Seguramente vas por los clubs nocturnos.

—Ya te dije que me acuesto temprano. Tengo que abrir la tienda a las siete y media para atender a los proveedores y recoger los pedidos. Bert no llegaba hasta las ocho y media, así que siempre tenía que ser puntual —explica, y da unos golpecitos en el bloc—. Nunca llegaba tarde —afirma, y me da la impresión de que no habla conmigo, así que no lo interrumpo; nos apoyamos en la valla y observamos la calle—. ¿Qué hora es?

—Las doce y media.

La noche se está quedando vacía, como él describía antes. Hay unas cuantas personas esperando el último tranvía y algunos taxis pasan junto a nosotros, Ed y yo.

—¿A los padres de Beth no les importa que salgas con ella tan tarde? O tan temprano, según lo mires.

—No llamo a la puerta —responde—. Tenemos un sitio en la parte de atrás del jardín. Hay un árbol enorme que tapa la vista desde la casa. Entro por la valla de atrás y me reúno detrás con ella.

—Qué romántico.

—Hasta que me pille su padre. Aunque tengo pensada la ruta de huida, para que nadie resulte herido.

—Salvo Beth. Seguro que consigues salir por la valla de atrás, pero ella se quedaría allí dentro.

—Beth puede cuidarse sola.

Pensar en él saltando vallas me hace pensar en que se tiene que ir, y eso hace que me pregunte cuánto tiempo pasará hasta que nos quedemos sin cosas que decir y nos sintamos incómodos. Camino arrastrando los pies para que sepa que no me importa si quiere irse.

—Le pegas muchos tirones a esa muñequera —dice—. ¿Te la dio un chico?

—Sí, un chico —respondo, dándole otro tirón—. Es la pulsera de la suerte de mi padre. Si te la pones, te trae suerte.

—¿Y cómo va su suerte desde que te la dio?

Pienso en mi padre sentado en la tumbona que hay en la puerta del cobertizo.

—Su suerte va bien. Oye, ya sabes que puedes irte. Si quieres.

—Ya me lo has dicho dos veces. ¿Y si no me quiero ir?

El calor que sale del puesto de comida para llevar que tenemos al lado hace que el aire parezca de satén, como si pudiera tocarlo, así que me concentro en eso en vez de mirar a Ed.

—¿Dónde crees que está Sombra en estos momentos? —pregunto, porque no soy capaz de obligar a mi boca a decir que no pasa nada si Ed no quiere irse.

—Esperando a que aparezcas para hacerlo contigo —responde, y no tengo que mirarlo para saber que sonríe.

—Tampoco es que esté buscando al ratoncito Pérez o algo así —protesto mientras me subo a la bici—. Sombra existe y no sé si le gustaré; solo quiero conocer a un chico, a un solo chico, que crea que el arte mola. ¿Estoy pidiendo demasiado? Solo quiero a alguien que pueda hablar, que pinte y que, además tenga cerebro.

Él se pone con su movimiento de cejas estándar.

—¿Qué? —pregunto.

—Solo será todas esas cosas hasta que lo conozcas. Entonces se convertirá en un chico como cualquier otro. Y, para tu información, hay un montón de tíos con cerebro.

—Prepárate, chaval. Tengo la sensación de que vas a necesitar carrerilla.

—Ni de coña. No pienso seguir corriendo detrás de ti —afirma; después se pone en equilibrio sobre la parte de atrás de mi bici y empuja con un pie para darnos impulso—. Pedalea ya. ¡Ya! Hemos estado haciéndolo al revés.

Salimos en bici por las calles secundarias, Ed me pone las manos en los hombros, y noto una chispa y un cosquilleo, y el circulito de luz de la bici perla la calzada. Pienso en las fotografías de Bill Henson que nos enseñó la señora J, las de los adolescentes por la noche. Cuando las miraba era como si alguien lo entendiera, como si alguien hubiese visto cómo era ir con la piel desnuda, brillando en la oscuridad.

—Por cierto —dice Ed mientras seguimos avanzando—, creo que el arte mola.

Ed

Mantengo las manos sobre los hombros de Lucy, a pesar de que su piel me quema y hace que me ardan hasta los brazos. No me molesta la sensación. La calle pasa a nuestro lado y mi cerebro rueda con ella. Las ideas se me derraman de la cabeza y me caen en las manos. Estarán ahí, dándome golpecitos, hasta que salgan directas a la pintura.

—Creo que el arte mola.

Esa es la primera idea.

La segunda es sobre mi plan de saltar la valla y abandonar dentro a Beth si alguna vez me pillaban en su patio de atrás. Me hacía sentir mejor saber que no tendría que dar explicaciones a su padre, pero nunca me había planteado lo que le pasaría a ella, que se quedaba allí.

La tercera es sobre Lucy, su muñequera y su arrastrar de pies. Siempre se mueve como si tuviera que estar en otra parte. Quiero que se quede un rato donde está, que se quede quieta y que me hable de las extrañas cosas que le pasan por la cabeza.

La cuarta es sobre eso de que lo haría con Sombra. Huelga decir que no me importaría hacerlo con ella, pero no es probable, ya que, en cuanto sepa que yo soy Sombra, la oferta no seguirá en pie. Lo que tenemos aquí es la pescadilla que se muerde la cola: no puedo hacerlo con ella hasta que la trate bien y le cuente la verdad; sin embargo, si le cuento la verdad y la trato bien, ella no querrá hacerlo conmigo.

—Tienes que tratar bien a las mujeres —me dijo Bert una vez cuando estábamos descargando pintura.

—Yo trato bien a Beth —respondí.

—Tienes que ser sincero —me dijo él, mirándome mientras aquellas enmarañadas cejas suyas le daban vueltas por la cara—. Valerie dice que lo único que quiere de mí es bondad y honestidad.

—No puedo contarle a Beth que soy Sombra —respondí—. Se pondría en plan legal y me regañaría por hacer algo que ella considera peligroso.

—No es por eso, la verdad es que no se lo cuentas porque pones en las paredes lo que te pasa por aquí dentro —afirmó él, dándome un golpecito con el dedo en la cabeza.

—Tuerce a la izquierda —le digo a Lucy—. El grafiti está aquí.

Es el que pinté después de que Beth me devolviera mis cosas, el fantasma en el tarro. Lucy hace una exploración rápida en busca de sombras de pintura antes de mirar el muro. Yo me quedo detrás de ella, observándola observar mi trabajo. Me siento como si me quitara la piel, me da la impresión de que, si se volviera, vería el esqueleto de un hombre detrás de él y lo sabría todo.

Pero no lo hace. Me mira y vuelve a mirar la pared.

—¿Alguna vez te sientes así? —me pregunta, y no respondo porque, si le digo algo, me delataría—. ¿Como si estuvieras encerrado en alguna parte y no pudieras abrir la tapa?

La tapa está bien cerrada, la tapa siempre está bien cerrada, y la única forma de abrirla es romper el tarro. Así es como me sentía a veces en la tienda después de dejar a Beth. Lo único que quería era pintar. Entonces murió Bert, y yo salí de la tienda y entré en un lugar peor, un lugar en el que no había dinero.

—Tiene agujeros para que pueda respirar —comento, señalando la tapa del tarro.

—Eso es lo peor —responde ella, dando la vuelta con la bici para apuntarme con la luz—. En sus dibujos nunca hay esperanza, ¿verdad?

—Quizá lo pintara en un mal día.

No sé si alguna vez siento esperanza cuando trabajo. Lo que sí siento es un subidón, y después como una especie de océano flotante dentro y alivio. Quizá eso sea esperanza.

Miro hacia la línea que dibuja la ciudad. Las noches son horribles en este lugar, llenas de niebla contaminada que se come las estrellas.

—¿Y quién tiene esperanza en este sitio?

—Yo —responde—. Al me ofreció un trabajo de ayudante. Voy a la uni el año que viene.

—Quizá Sombra no vaya a la uni. Quizá ni siquiera tenga trabajo.

—Pero es bueno —afirma ella—. Muy bueno. Y con sus obras hace que todo sea mejor. Un día estaba sentada en una parada de autobús, cabreada porque llegaba tarde, hasta que vi un pequeño trabajo suyo al otro lado de la calle. Era un bicho que me miraba como diciendo: «Esto es increíble, llevo aquí esperando media hora». El dibujo no tenía palabras, no hacía falta, se veía todo en los ojos.

—¿Cómo sabes que era suyo? —le pregunto—. Si dices que no había palabras...

—Lo sé —responde, y lo que me hace sentir me obliga a mantener la vista fija en sus manos—. Este azul es de su cielo —dice, volviéndolas para que pueda verlas—. Hace un rato restregué la mano por uno de sus dibujos. Un tío que pinta cosas así ya está haciendo algo. No es de los que se quedan sentados.

Cuando la escucho me parece estar oyendo a Bert hablar sobre dónde me veía dentro de diez años. Me decía que sería un artista famoso, y a mí me daban ganas de escapar, pero mi piel no me lo permitía. Sentía el impulso de lanzar latas a las ventanas para oír un ruido que sonara a huida.

—Deberíamos irnos —le digo—. Este sitio no es seguro por la noche.

—¿Qué aspecto tiene? —me pregunta ella sin moverse—. Aunque lo hayas visto poco.

—La verdad es que los chicos no se fijan en la pinta que tienen los otros chicos. Supongo que es alto, pelo oscuro, musculoso. Muy musculoso.

—Pero no te has fijado.

—Cuesta no ver los músculos de ese tío.

—Pero ¿qué aspecto tiene? —insiste ella.

—No lo sé.

Lucy se me queda mirando y yo intento encontrar una palabra para cambiar de tema, así que escojo la primera que se me viene a la cabeza.

—Perdido —digo sin saber que voy a decirlo—. Supongo. No sé.

Eso le basta por ahora; se sube a la bici. Empujo, aunque empiezo a cuestionarme seriamente la idea de meternos más en el parque. Leo y yo podemos estar por ahí de noche porque él es un gigante y está acostumbrado a las peleas. Conozco a los otros grupos y no hay problema, pero no todos los que andan por ahí son amigos.

Lucy no me hace caso, así que seguimos metiéndonos en el parque por caminos que preferiría no recorrer con ella. Caminos retorcidos que llevan al centro y me hacen pensar en senderos que suben haciendo curvas hacia el cielo y se detienen. Es difícil saber por dónde vamos desde mi sitio. Lo mismo podríamos estar en un camino que termine en seco y nos deje caer vete a saber dónde. Leo y yo nos hemos caído por unas cuantas colinas de por aquí.

—Creo que deberíamos dar la vuelta. Algunos de los senderos

no tienen vallas y en alguna parte de por aquí cerca hay una buena caída.

Quiero ir a Barry's a comer algo, ir a algún sitio con luces y más gente. Algún sitio lejos de las cosas que pinto.

—Si nos saliéramos del sendero notaríamos la gravilla, ¿no?

—Supongo.

—Pues deja de preocuparte.

—Se dice pronto.

—Tienes que pensar en otra cosa —sugiere ella—. Deja que tu mente vague por los sitios en los que quieres estar. Cuando no quiero hacer algo, como una presentación oral o un examen, me imagino que estoy en el estudio de Al soplando vidrio. Le doy la vuelta a la caña, soplo y creo algo con mi aliento.

Su voz me pone frente a un muro, por la noche, todo a oscuras, con el mundo que he creado delante de mí. Los dos dejamos de preocuparnos.

Y entonces es cuando nos salimos del sendero.

Lucy

Creo que estoy gafada. O estoy gafada yo, o está gafado Ed. Es lo que se me ocurre mientras vuelo por los aires colina abajo en mi bici y noto que Ed rebota en la parte de atrás y sale despedido. Nos habría ido mejor si se hubiera agarrado más fuerte. Sin su peso, mi bici gana velocidad y me muevo tan deprisa que temo matarme.

—¡Mieeerda! —chillo, y me agarro con fuerza al manillar.

Se me agarrotan los brazos, las piernas y la cara. Abran paso al jinete pálido. Doy con un bache y sigo moviéndome. Dios, espero que ese bache no fuera Ed.

Tengo un instante de claridad mientras vuelo, una chispa que surge de la nada: si Dylan conoce a Sombra, y Dylan y Ed son buenos amigos, ¿por qué Ed no conoce mejor a Sombra? El instante de claridad no da más de sí porque estrellarse contra un árbol en plena noche deja sin claridad y aliento a cualquiera.

Me quito el casco y me quedo tumbada hasta que consigo volver a respirar con calma.

—¿Ed? ¿Estás vivo?

—Sí —responde desde algún lugar cercano—. Y me sorprende, porque tu bici me pasó por encima mientras caía. Las citas contigo son un peligro.

—No es una cita.

—Qué suerte. Si fuera una cita, a lo mejor ya estaba muerto. ¿Te has hecho daño?

—No —respondo después de un examen rápido—. Las rocas amortiguaron mi caída. ¿Y tú? —pregunto mientras me levanto para iluminarlo con la luz de la bici.

—Sí, justo en la línea que me ha marcado tu rueda en la cara —contesta, y puede que sea por la conmoción, pero pierdo el control y resoplo de risa—. No hagas caso de los rumores: a los tíos nos ponen las chicas que resoplan de risa y nos atropellan con sus bicis. —Me carcajeo un poco más—. No te preocupes por mí, estoy bien.

Recupero el aliento, me calmo y los dos miramos colina arriba para evaluar la situación. El señor Tipo Duro dice que tenemos que trepar, y sé que tiene razón, pero lo que yo quiero es llamar a la policía o a los bomberos para que vengan a sacarnos.

—No puedes llamar a la policía para que te ayude a trepar por una colina —me asegura, y me pregunto si mi padre podría acercarse con el taxi; si supiera que estoy con un chico, seguro que sí.

—Vale, trepamos —respondo—. Antes voy a llamar a Jazz para que alguien sepa dónde estamos.

Dejamos la luz de la bici encendida entre nosotros, y Ed se acerca cojeando a una roca y se sienta. Está lo bastante lejos para no poder oírme, aunque, de todos modos, me alejo un poco más para asegurarme.

—¿Estás mascando chicle? —pregunto cuando Jazz me responde al fin.

—Sí. Espera un segundo.

—Oh —digo, sumando dos y dos, recordando los ruidos chiclosos de la fiesta; es raro, pero me siento un poquitín celosa.

—Vale, ya estoy —responde—. ¿Dónde estás?

—En el fondo de una colina oscura con un chico.

Se hace el silencio durante un par de segundos.

—¿Es una metáfora?

—No, de verdad que estoy en el fondo de una colina oscura. Ed y yo nos caímos con la bici.

—¿Estás bien?

—Un poco asustada, pero bien —respondo, y miro rápidamente atrás para comprobar que Ed sigue lejos, en su roca, antes de susurrar—: Ed está raro.

—Pasa algo, ¿verdad? —pregunta; se aparta un momento del móvil y la oigo gritar a la multitud—: ¡Daisy, Leo, algo pasa con Ed y Lucy!

Dios mío.

—Vale, ya he vuelto.

—No puedo creerme lo que has hecho. Ahora Leo le contará a Ed que yo he dicho que pasaba algo. No pasa nada. Está con Beth —susurro.

—¿En serio? Beth está aquí, ¿sabes? Está hablando con Leo.

—¿Eso significa que están lo bastante cerca como para oírte gritar que pasa algo entre su novio y yo?

—No había caído. Espera, lo arreglaré.

—¡No, estate quieta!

Pero se va y la oigo gritar:

—¡A Lucy le gustaría que pasara algo con Ed, pero tiene novia, así que no pasa nada!

Eso no me consuela.

Vuelve y me dice:

—Todo arreglado.

—¿Todo arreglado? Ahora piensan que alucino. Tengo que irme.

Y tengo que encontrar la forma de separar mi yo consciente de mi yo inconsciente para poder borrar este recuerdo. Creo que mis posibilidades son escasas.

—Espera —me dice—, no hemos hablado de Leo. He bailado con él, pero nada de acción.

—¿Qué era ese ruido de antes?

—Ya te lo dije, estaba mascando chicle.

—Creía que os estabais besando y te daba vergüenza decirlo.

—Luce, no tengo vergüenza, una vez perseguí a un chico por la calle para pedirle su número de teléfono.

Es verdad, y le encanta el chicle.

—¿Y le has mandado las señales correctas?

—Nena, soy peor que un faro. Tiene otra cosa en la cabeza, no deja de mirar la hora. Le he preguntado que si tiene que ir a algún sitio, pero me dice que tiene que estar en una parte a la una, que puede volver a la fiesta para recogerme después. Y le contesto: «Voy contigo». Y va y me dice: «No, no puedes venir conmigo». Bueno, vamos, que no parecía interesado. Pero después va y agarra una de mis trenzas y le da vueltas, Luce. Se la enrosca en el dedo y a mí me da vueltas... otra zona. A lo mejor está pensando en Emma. A lo mejor ha quedado después con Emma. Me está volviendo loca. ¿Le pido a Daisy que le dé una patada en las pelotas a Dylan para averiguarlo?

—Puede que fastidie el ambiente.

—El ambiente entre esos dos está muerto. Dylan está intentando bailar con ella, pero ella está bailando con un tío que se llama Gorila. Creo que no es solo lo de los huevos, está enfadada por otra cosa. Da pena verlo. El chico está sentado en un rincón, mirándolos. Espera. Beth me está diciendo una cosa.

—¿Beth?

Oh, Dios mío.

—Vale —dice Jazz—, tengo noticias: Beth dice que Ed y ella rompieron hace como tres meses.

Me lo pienso. Me lo pienso un poco más.

—Son malas noticias, muy malas.

—¿Y por qué? Si lo quieres, está libre.

—Está libre y no quiere que yo sepa que está libre porque no quiere que yo crea que existe la posibilidad de que estemos juntos.

—¿Estás bien? Tus susurros empiezan a ponerse un poco agudos.

—Estoy bien. Ni siquiera me gusta de ese modo.

—Mira, que estás hablando conmigo...

—Vale, quizá sí me guste un poco de ese modo, no sé. Estoy hecha un lío. Lo atropellé con la bici en la caída.

—A lo mejor deberías cortarte con los asaltos con lesiones si de verdad te gusta.

—No, estoy buscando a Sombra. Debería ceñirme al plan.

—Puede que Ed se esté haciendo el duro. Qué romántico.

—Mentir no me parece romántico.

—Tu idea del romanticismo requiere un corsé y una máquina del tiempo. Relájate un poco, para variar. Espera, Leo quiere hablar con Ed.

Se larga antes de poder decirle lo que he averiguado de Leo. Me acerco a Ed y le paso el teléfono. Él se pone donde estaba yo, y yo me siento en la roca. Intento con todas mis fuerzas oír lo que dice. Lo intento. Lo intento. Pues no, no tengo oído supersónico.

Jazz dice que el universo nos responde. Yo siempre he pensado que es una estupidez, pero nadie me ofrece nada mejor, así que quizá sea el momento de los últimos recursos.

Saco una moneda y la lanzo al aire. Cara significa que Ed no me contó lo de Beth porque se hacía el duro. Vale, dos de tres. Tres de cuatro. Tres de cinco. En fin, siempre me quedará Sombra.

Me quedo mirando la moneda que tengo en la mano y practico algunos trucos que me ha enseñado mi padre. Me la paso entre los dedos, haciéndola aparecer y desaparecer. «Todo se basa en que el público se lo crea —dice siempre—, pero también en lo que el público esté dispuesto a creer. La gente quiere ver cómo le sacas mágicamente una moneda de la oreja. Así que, si eres lo bastante rápido, si escondes las cosas lo bastante bien, se lo cree.»

Me quedo mirando la moneda. Cruz, y mis padres no se divorcian. Cruz, y mi padre solo se está tomando un descanso y el cobertizo no es algo permanente. Tomo aire y lanzo la moneda.

Ed

Observo a Lucy llamar a Jazz, observo la marca de su cuello, la observo arrastrar los pies, la observo, la observo, la observo. Quizá pueda decirle quién soy cuando estemos frente a la pared de la pista de *skate*. O llevarla al grafiti de Bert. Como si los presentara.

O podría enseñarle la balanza que pinté cerca de los muelles, como la que vi en el cuadro de Vermeer, *Mujer con balanza*. La señora J me dijo una vez que con la balanza del cuadro se pesaba algo importante, como las acciones o un alma. Bert y yo fuimos a ver la exposición de Vermeer y, mientras mirábamos el cuadro, le pregunté:

—¿Qué crees que hay que hacer para que te pese el alma?

—No sé lo del alma, pero una persona debería llevar una vida buena. No tiene sentido vivir si no lo haces bien.

Mientras habla por teléfono, Lucy me mira de vez en cuando. Lo único que oigo es un «oh, Dios mío» o un «no» de vez en cuando.

Leo, ¿qué le estás contando? Intento pensar en cómo explicarle por qué he mentido. Al cabo de un rato, se acerca y me pasa el móvil.

—¿Todo bien? —pregunto.

—Todo bien —responde, sonriendo, y yo vuelvo a respirar mejor.

«Respira con calma», pienso mientras me alejo de ella y le doy la espalda. Oigo a Leo reírse antes de llevarme el móvil a la oreja.

—¿Te has caído rodando? —pregunta—. Me troncho.

—Y yo —susurro—. Está oscuro y no podemos llamar a los polis para que nos ayuden porque después tengo que ir a robar un instituto. Si nos pillan, no quiero que piensen que Lucy está metida en esto.

Leo deja de reírse.

—Sí, no, no llames a los polis. Mira, Dylan y yo iremos a recoger la furgoneta dentro de nada. Después volveremos a por Jazz y Daisy, y podemos pasarnos por el parque sobre la una y media. A esa hora, ya estaréis arriba.

Bajo la voz todavía más.

—No puedes llevarlas por ahí en la furgoneta de la huida.

—Casi mejor que no la llamemos la furgoneta de la huida. A lo mejor levanta sospechas.

—¿Y cómo la llamamos?

—¿Qué te parece furgoneta a secas?

—No cambia lo que es y que es una idea de mierda. Puede que alguien las vea dentro —digo, y miro a Lucy, que está sentada en medio del charco de luz de la bici, lanzando al aire una moneda—. No quiero meterla en esto.

—¿Está pasando algo más?

—No está pasando nada. No vayas a decirle a Jazz que está pasando algo.

—Es lo que dijiste en el cole cuando la señora Peri nos acusó de estar tramando algo y no conseguía averiguar qué era. Ella echaba espuma por la boca, y tú no dejabas de decir: «No está pasando nada».

—¿Y?

—Que tenías el pez mascota de la clase metido en los pantalones. Sí que estaba pasando algo.

—Como le digas a Jazz que me metí un pez en los pantalones, olvídate de mí.

Al cabo de unos segundos de silencio, Leo dice:

—¿Qué te parece la señorita Jazz? Me vuelven loco sus trencitas. Le gusta mucho señalar con el dedo. Sabe bastante de poesía. Le he recitado unas cuantas cosas mías y le han gustado mucho.

—¿Le has recitado cosas de los muros?

—Relájate, eso no, otras cosas.

—¿Qué otras cosas?

—Cosas. No te preocupes.

—No me preocupo. Es que no sabía que escribieras poesía, aparte de los grafitis. ¿Qué te consideras, un poeta o un comentarista social? —pregunto, pensando en lo que Lucy había dicho antes.

—No lo sé —responde entre risitas—. ¿Qué te consideras, un idiota o un gilipollas?

—Ahí le has dado.

—Entonces, ¿qué te parece Jazz?

—Me parece que te gusta de verdad, así que no hagas nada que pueda fastidiarlo. Llévala a casa, ve a por la furgoneta de la huida y reza por que no te pillen esta noche.

—Técnicamente, no es la furgoneta de la huida hasta que no huyamos. Todavía quedan dos horas para eso, más o menos, así que sugiero recogeros cerca de la pista de *skate*, ir a por algo de comer, reírnos un rato, dejar a las chicas en casa y después, ya sabes.

Mientras pienso en lo que dice, añade:

—Por cierto, Beth está aquí, buscándote. Dice que tiene que decirte una cosa. Dice que intentó llamarte al móvil, pero ya le conté que te cortaron la línea porque estás en la ruina.

—Gracias.

—A ella no le importan esas cosas, quiere volver contigo. ¿La llevo en la furgoneta?

—No la metas en esto, la llamaré desde una cabina. Mira, Lucy todavía cree que salgo con Beth, así que no le cuentes a Jazz que ya no.

No me gusta nada el silencio sepulcral que se produce tras mis palabras.

—¿Leo?

—Mira, Jazz me dijo que a lo mejor pasaba algo entre Lucy y tú porque Lucy dio a entender que podría pasar algo, y Beth oyó a Jazz, así que Jazz le dijo que no iba a pasar nada porque vosotros dos estabais saliendo, y Beth respondió que llevabais como tres meses sin salir.

—Mierda.

—No es tan malo —responde él, y yo le cuelgo a mitad de la frase.

Me acerco a Lucy. Ella ha lanzado una moneda al aire, así que la atrapo al vuelo y me la pongo en el dorso de la mano.

—¿Qué haces?

—Pregunto cosas al universo —contesta.

—El universo te ha dejado tirada al pie de una colina muy empinada. ¿De verdad quieres hacerle preguntas? —le digo; como no se ríe, sigo mi instinto y me protejo la nariz.

—A ti no te puedo preguntar, eres un mentiroso.

—Vale, mantén los codos pegados al cuerpo y no pierdas la calma.

—No tiene gracia, chaval.

—¿Qué más te da que ya no salga con Beth? Estás metida en una aventura nocturna para encontrar a Sombra y hacerlo con él.

—Túmbate —responde—. Quiero subirme a mi bici y acabar el trabajo.

—Muy bonito.

Nos quedamos así un momento y no sé qué decir.

—¿Quieres saber lo que te ha dicho el universo? —pregunto, levantando la moneda.

Me la quita y se la mete en el bolsillo sin mirarla.

—La moneda es de mi padre. Mi padre es un buen hombre, no miente.

Enrolla una y otra vez la correa del casco de su bici en uno de los manillares hasta que está tensa y después la cierra. Me da la impresión de que se imagina que el manillar es mi cuello.

—Yo no he dicho que tu padre sea un mentiroso —respondo, y levanto la bici del suelo.

—Déjala —me chilla ella cuando empiezo a caminar—. Pesa demasiado.

—No pesa demasiado —respondo a voces—. Voy bien. Leo nos recogerá en la pista de *skate* con una furgoneta. Podemos echar la bici en la parte de atrás.

—Estupendo —responde.

—Estupendo —repito, y los dos vamos dando trompicones por encima de las rocas.

Bert resopla a nuestro lado mientras subimos por la colina. Me dice que debería decir que lo siento.

—Te comportas como un gili —me dijo cuando Beth fue a la tienda para devolverme mis cosas.

—Ya nadie dice «gili».

—Ríete todo lo que quieras, pero yo sigo teniendo a mi chica.

Levanto la bici más alto, sobre los hombros. Es demasiado pesada, aunque es bueno saber que cuento con mi propio vehículo de huida cuando lleguemos arriba. Además, me siento como un gili e intento compensárselo.

—Date prisa —dice Lucy—, no quiero llegar tarde a donde Leo y Jazz.

Parece que mis esfuerzos no obtienen recompensa.

—Mira, te mentí sobre Beth por cómo me estabas mirando antes, como si yo fuera un saco de aire a punto de agarrarte el culo.

—Pero después lo arreglamos y tampoco me lo contaste.

—Acabas de atropellarme con la bici. ¿Cuándo lo hemos arreglado? —pregunto, aunque es verdad que hablamos, lo arreglamos, y yo lo sé y tendría que habérselo dicho—. Lo siento.

—¿Me has contado más mentiras?

Ahora es mi oportunidad: soy Sombra, he perdido mi trabajo, después voy a ir a robar al instituto para poder pagar el alquiler y ayudar a Leo a saldar su deuda con Malcolm Dove.

—Qué va, ninguna. Rompí con mi novia y no me apetecía hablar del tema, ya está.

«Menudo cobarde», dice Bert.

—¿Por qué rompiste con ella? —pregunta Lucy.

—Ya no importa, está hecho.

No quiero hablar sobre Beth con Lucy. Ya estoy metido en terreno pantanoso porque casi que me gustan las dos, lo que sería una mierda, aunque, como no tengo ninguna posibilidad con ninguna de las dos, ¿qué más da? Por mucho que Beth crea que quiere volver conmigo, no es verdad. No me conoce del todo.

Me pidió que leyera un libro que estaba estudiando en clase de Literatura. Me dijo que era sobre Vermeer y que me gustaría. Así que me ponía todas las noches y leía un par de páginas, pero mi cabeza no retiene las palabras, se me caen antes de poder meter las siguientes. No soy más estúpido que Leo; si él puede retener las palabras, ¿por qué yo no?

Le pedí a Leo que leyera el libro y me lo contara. Yo conocía todos los cuadros de los que hablaba, conocía *La joven de la perla*, sabía cómo usaba Vermeer su caja para ver las cosas de otro modo. La señora J me habló de su cámara oscura cuando todavía iba al instituto; me contó que Vermeer miraba a través de ella y todo se mezclaba a su alrededor, y así podía pintar cosas que no veía nadie más que él. Me gustó la idea y decidí ver un documental sobre el pintor. El caso es que aprendí muchas cosas, pero no había podido leer el estúpido libro.

Sin embargo, no podía contárselo a Beth porque ella se ponía muy contenta cuando yo fingía que lo había leído. Teníamos una gran charla y yo me sentía todo el rato como si me mirase a través de la caja de Vermeer: todo lo que veía era cierto, pero mezclado al revés.

—¿En qué estás pensando? —me pregunta Lucy.

—Estoy pensando en que tendría que haber tomado algunos hidratos de carbono antes de salir de la fiesta.

—Tengo un paquete de pastillas de menta en el bolsillo —responde, y me da la sensación de que el perdón está en camino.

—Gracias.

Nos sentamos en la colina, a medio camino de la cumbre, y ella divide el paquete.

—Me gusta tomarme mi tiempo hasta que desaparecen —dice, y tardo un segundo en darme cuenta de que habla de las pastillas.

—A mí también.

—Jazz puede comerse un paquete entero en menos de un minuto.

—Pues Leo y ella se llevarán bien. Leo es capaz de comerse un rollito de salchicha en menos de treinta segundos.

—¿Crees que se juntarán?

—No lo sé, puede. Leo me ha preguntado qué me parecía Jazz. Le he dicho que me parecía simpática.

—Simpática es aburrido. Una vez persiguió a un chico por la calle para pedirle el número de teléfono.

—¿Lo pilló?

—Sí.

—Entonces parece perfecta para Leo.

Poeta

Pista de baile
00:45

Casi

Tus chistes casi me hacen reír
y tu pelo es casi, casi genial,
tu sonrisa tampoco está mal,
diría que casi, casi me gustas.

Tu vestido es corto y dulce
y tus botas molan bastante,
no me pones, no te quedes ahí delante,
diría que casi, casi me gustas.

Tu forma de bailar no es nada estúpida,
podría acostumbrarme a tu forma de moverte,
no digo que quiera volver a verte,
pero diría que casi, casi me gustas.

Ed

Termino la última pastilla de menta y empezamos a caminar de nuevo.

—Podría llevar la bici un rato —dice Lucy—. Tengo buenos músculos por lo del vidrio.

Levanto más la bici. Al menos cargar con ella me da una excusa para
respirar con dificultad, para que no se note que es por caminar al lado
de sus buenos músculos.

—Dices todo lo que se te pasa por la cabeza, ¿verdad?

—Es mejor que no decir nada, que es lo que hiciste tú en nuestra
cita. Yo tenía muchas ganas de hablar.

—Lo dejaste bastante claro —respondo; esta vez dejo que diga que
fue una cita.

—Lo tenía todo pensado, creía que hablaríamos sobre arte, sobre
Rothko. O a lo mejor sobre libros. O del tiempo. Ese día había un
huracán por el norte.

Es la chica más rara que he conocido. No sabía que fuera tan rara
cuando le pedí una cita hace dos años. No estoy seguro de si se la habría pedido de saberlo.

—¿Y cómo habría sido la conversación? La que tenías en la cabeza,
quiero decir.

—Creía que yo diría algo como: «Ese Rothko que vimos en el museo era genial, ¿verdad?».

—Queda muy natural.

—Bueno, ahora no suena tan natural porque acabamos de caernos por una colina.

—Cierto. ¿Y qué respondía yo?

—Dejé espacios en blanco para que pudieras contestar.

—Qué considerada.

—¿Y?

—Vale, pues sí, ese Rothko que vimos en el museo era genial.

—Seguro que ni te acuerdas de qué Rothko estamos hablando.

—¿Qué eres, abogada? *Número 301. Rojos y violetas sobre rojo/Rojo y azul sobre rojo.*

—¿Y qué te pareció genial? —pregunta, impresionada.

Me lo pienso un momento, recordando que con la última respuesta equivocada que le di me gané una nariz rota.

—Por un momento, mientras lo estás mirando, el cuadro es el mundo y tú estás dentro de él.

Intento expresar con palabras lo que se siente cuando miras ese cuadro, pero no puedo, y ese es el tema.

—Esa clase de arte no necesita palabras. Ese cuadro te dice lo que quiere metiéndote dentro de él y echándote fuera después, y sabes lo que te dice sin que se hable nada —explico, y dejo la bici un segundo—. ¿Es lo que creías que diría?

—No. Pero ha estado bien. Mejor.

Recojo la bici y sigo andando.

—¿Qué pensabas decir después?

—¿Recuerdas la primera obra de arte que te enganchó?

—Puede que *io* de *The Spoils*, de Sam Leach. He pensado mucho en ella desde lo de Bert.

—¿Los pájaros muertos, uno al lado del otro?

—El pájaro de la izquierda tenía un azul perfecto en el pecho. Pensaba en ese cuadro mientras Valerie estaba en la tienda, leyendo las tarjetas del funeral. Estaban llenas de gilipolleces que no tenían nada que ver con la muerte de Bert, pero ese cuadro sí tiene que ver.

Los diminutos cuerpos blancos que proyectan sombras y sus patas delgaduchas señalando el aire. Aquellos pájaros eran lo bastante pequeños como para caberme en la mano y, sin embargo, el día anterior habían estado volando.

—Me sentía como ese cuadro cuando encontré a Bert tirado en el pasillo tres.

Guardamos silencio después de esas palabras, un gran silencio, y ya no llevo ese río poco profundo en mi interior. Mi marea ha subido e intento mantener la cabeza a flote mientras regreso a la tienda y me encuentro delante de Bert, que está tumbado boca arriba, con sus viejas manos inmóviles.

Aparte de la señora J, él era la única persona que creía que yo era algo más que un perdedor que escribía en el lateral de la tienda. «Todos tenemos una segunda oportunidad», decía Bert cuando yo cometía un error. Y nunca se enrollaba más sobre el tema, como hacía otra gente; lo comentaba y seguíamos adelante.

—¿Qué es lo que más echas de menos de él? —me pregunta Lucy; esa es fácil.

—Echo de menos su expresión cuando soltaba una palabrota y miraba a ver si Valerie lo había oído.

Ya hemos llegado a lo alto de la colina, así que nos sentamos a descansar un rato.

—Parece un buen tío —dice Lucy—. Un poco como Al, quizá.

Ahora que sabe lo de Beth, es como si no hubiera una distancia tan grande entre nosotros. Ya no hay dos personas entre nosotros, sino solo una, Sombra, y yo soy él, así que es casi como si estuviéramos los dos solos.

—Dejaste el instituto en medio del trabajo de Jeffrey Smart que estábamos haciendo. Era como si no te importara —dice, y sé adónde quiere ir a parar y no quiero que me pregunte otra vez por qué me fui, porque a lo mejor esta vez no soy capaz de mentirle.

—Fue casualidad. Bert me ofreció el trabajo y mi madre necesitaba el dinero. Quería terminar el trabajo.

—¿Te gusta su obra?

—La suya y la de Vermeer —respondo—. Son los que más me gustan.

—Son muy distintos.

—Puede, pero es como si la vida no se moviera mucho en ninguno de los dos.

Se calla y a mí me da miedo que se ponga a darle vueltas a por qué dejé el instituto, así que digo algo solo por decirlo:

—Es increíble que haga tanto calor en octubre.

—Es raro, aunque no me importa. Es como si estuviéramos dentro de una burbujita de diciembre flotando en el lado equivocado del año.

—Me gusta esa idea.

—Y a mí —dice una voz detrás de nosotros.

—Hola, Malcolm —lo saluda Lucy al volverse.

Mierda, mierda.

—¿Lo conoces? —le pregunto.

—Es el tío que conocí cuando salimos de la fiesta.

—¿Y creías que era Sombra? —pregunto, mirando su traje.

—Lucy y yo mantuvimos una bonita charla sobre dónde podría encontrarte esta noche —dice Malcolm.

—¿Le dijiste dónde íbamos a estar?

—Sí —responde ella, algo perpleja.

—Es un psicópata —le explico rápidamente.

Miro hacia la bici y Malcolm niega con el dedo. Se ha traído a los hombres malos, que están de pie detrás de él, con los brazos cruzados.

Arrastran los pies y esperan, arrastran y esperan. No es bueno encontrarse con los hombres malos en un lugar a oscuras. No es bueno encontrarse con los hombres malos en un lugar iluminado.

—En fin, que Leo me debe dinero.

—Lo tendrás mañana.

—Lo quiero ahora.

—Me engañaste —dice Lucy, que ha pasado de perpleja a enfadada en menos de un minuto; se me pasa por la cabeza la idea de taparle la boca con la mano, pero no hay tiempo—. Hiciste como si te gustara para averiguar dónde íbamos a estar esta noche. No eres nada bueno.

Y aunque es una estupidez por su parte decirlo, ya que estamos en lo que Bert llamaría un gran aprieto, no puedo evitar reírme cuando veo su cara de sorpresa, como si la desconcertara comprobar que un tipo al que acaba de conocer no sea como ella quería que fuese. Como si la desconcertara que un tipo con un traje chulo no sea bueno.

—Es verdad, solo sois buenos amigos —dice Malcolm, y yo pongo una mano sobre el hombro de Lucy para que no lo ataque.

—No dejes que te afecte —le digo a ella—. Come cucarachas.

Malcolm sonríe y aclara:

—Solo una.

—¿Cucarachas? ¿Cómo he podido juzgarlo tan mal? —pregunta Lucy, bastante perturbada por su falta de intuición.

—En tu defensa diré que no es algo que suela imaginarse —contesto.

—Ya vale —dice Malcolm, más serio, y los dos nos callamos—. Quiero que le des a Leo un mensaje de mi parte.

—¿Ya está? ¿Quieres que le demos un mensaje?

—Eso es.

—Vale —respondo, sintiéndome muy afortunado, hasta que me da la sensación de que el mensaje va a ser en forma de moratón en la cara.

No dejo de mirar hacia la bici de Lucy, que está tirada en el suelo.

—Si intentas huir —dice Malcolm—, le doy el mensaje a ella.

Me gusta la cara de Lucy, me gusta cada vez más conforme avanza la noche, así que dejo que Malcolm se me acerque y, al hacerlo, el mundo de mi interior se mueve a toda prisa, mientras que el mundo del exterior se queda inmóvil.

—¿Por qué no le das el mensaje directamente a él? —pregunta Lucy, pero Malcolm no le hace caso.

Aunque le ha costado dos encuentros, ya lo ha calado: sabe que me da el mensaje a mí porque Leo seguramente podría con él y con sus hombres malos o, al menos, tendrían una buena pelea. Malcolm se encargará de Leo si no le queda más remedio, pero ¿por qué no empezar por algo más fácil? Además, es igual que con lo de la cucaracha: a veces, a Malcolm le gusta hacer cosas raras.

Los hombres malos me sujetan y, aunque no me guste reconocerlo, me templequean las rodillas. Tiemblan todavía más cuando saca un compás y se pone a darle vueltas en los dedos, como si fuera un artista de circo travieso.

—Te voy a regalar un *piercing* para el pezón.

¿Me va a hacer un regalo? No, no es eso, no me va a hacer un regalo. Por dentro soy un remolino, todo da vueltas. ¿Dónde está Leo? Leo y yo siempre estamos juntos cuando pasan cosas como estas, por eso tienen gracia. Tienen gracia porque nos libramos. No tienen gracia si no nos libramos. Si no nos libramos son una mierda.

—Súbete la camiseta —dice Malcolm, y pone esa sonrisa de cachorro demente.

Me acerca el compás a la piel. Cierro los ojos y noto la punta. Va a doler un montón. Lucy me agarra la mano, cosa que me gusta, aunque no estoy de humor para eso ahora.

Malcolm se detiene.

—Te haré un favor, ¿qué te parece?

—Me parece genial —respondo—. Genial, genial.

—Primero te lo haré en la oreja.

—Tenemos que hablar de lo que entiendes por un... ¡Jooodeeer! —grito cuando el compás me atraviesa la oreja—. Estás loco —añado, y lo empujo.

Él se ríe más que el día en que se comió la cucaracha.

Entonces sucede: Lucy le da un golpe en la cara. Aparto la mirada durante un segundo y vuelvo a mirar, es demasiado bueno para perdérselo. Hay sangre, gritos y me siento mejor porque yo no grité cuando Lucy me golpeó; solo lloré después, y fue por culpa de la anestesia.

—Eso no ha sido un accidente, chaval —dice Lucy.

De repente, se pone blanca y, mientras los hombres malos están ocupados mirando la nariz de Malcolm, yo recojo la bici, le digo a Lucy que se suba y salgo pitando, con su casco de relámpago dando golpes contra el manillar.

Muevo las piernas a toda velocidad, mi corazón late como loco y me siento muy bien por no haber cedido ante un perdedor que cree que puede decirnos qué hacer para que lo hagamos porque nos tiene contra la pared y parece que no hay forma de escapar. Pero podemos escapar. Lo hemos hecho. Cruzamos el parque, cruzamos y volamos, y sale luz de algún punto más adelante, de la pista de *skate*, de la luz que cuelga sobre el muro que quiero enseñarle.

—¿Cómo vamos? —grito.

—Quiero vomitar.

—No es bueno, teniendo en cuenta que me lo echarás encima, pero me refería a ellos, ¿los hemos perdido?

—Vamos bien —responde, después de girarse para mirar atrás—. Ni siquiera los veo. ¿Cómo está tu oreja?

—Tiene un agujero del tamaño de un compás, ya ves. Duele.

Noto sus manos sobre mi espada y rodamos por el parque, rodamos en la bici de la huida. Vuelvo a estar donde estaba con Beth, el aire vuelve a moverse, me hace sitio, hace sitio. Me paro en la pista y caemos sobre la hierba, cerca, rodeados del calor del aire y del calor de nuestro aliento.

—Le has pegado un buen golpe.

—Espero que esté bien —responde ella.

—Pues yo espero que lo hospitalicen.

—¿Crees que estamos seguros aquí? Puede que nos persiga.

—He estado en su lugar, así que, créeme, no va a correr detrás de nosotros. Y, aunque lo haga, cuando lleguen hasta aquí ya habrá venido Leo.

Lucy saca un pañuelo de papel viejo y sucio de su bolsillo, y seguramente me matará con la infección, pero no se lo digo porque no me importa. No me importa porque estoy cerca de ella y veo esa marca de su cuello, y vuelvo a aquel muro, al momento en que pinté aquellas líneas en una cara que es todo misterio, todo lo que quiero comprender. Solo que, esta vez, mi coche no echa humo porque ella está interesada, a lo mejor lo está.

Y ella mira por encima de mi hombro, me toca la oreja, contempla mi muro. Una enorme tormenta, un monstruo. Olas más grandes que edificios. Tardé toda la noche en conseguir que los azules y los verdes entraran y salieran los unos de los otros, en conseguir que el cielo amarillo se arremolinara sobre las olas oscuras, se arremolinara sobre las dos figuras de la orilla: un chico con una tabla de surf y un pececito a su lado. Beth y yo al principio, y también Bert y yo. Leo y yo.

Lucy lo mira, vuelve a mirar mi oreja, y no sé si me ve en el grafiti o no. ¿Cómo no iba a verme en él? Es todo lo que soy, un tipo en la orilla, atrapado por las olas y buscando la forma de nadar.

—¿En qué piensas? —le pregunto, pero ella vuelve a mirarme la oreja.

—No está agujereada del todo. Creo que podrías dejar que se cure o atravesarla hasta el final.

Vuelvo a hacer planes de viaje y a acercarme de verdad, mi aliento toca el suyo y ella no retrocede. No se mueve en absoluto.

—Pues hasta el final —le digo, y me siento como un completo gilipollas, pero ser un gilipollas no fastidia el momento.

Lucy se inclina sobre mí y estoy a punto de besarla. Por fin, estoy a punto de besarla. Me inclino, acerco la boca mucho, mucho. Y, entonces, ella se pone pálida y yo me aparto porque estoy bastante seguro de que está a punto de potar.

Lucy

El aliento de Ed deambula sobre mí, él clava la mirada en la peca de mi cuello, y el calor de la noche es más fuerte que nunca y da la impresión de que estamos colgando del cielo o del techo. Giramos el uno alrededor del otro sin tener los pies en el suelo. Si nos tocáramos, no me extrañaría oír campanillas. Aprieto el pañuelo contra su oreja y me cosquillean los dedos. Me pregunta qué me parece y le digo que podría curársela o atravesarla hasta el final, y él decide ir hasta el final.

Lo dice en un tono que me resulta guay, no idiota, y decir una frase como esa es arriesgarse al cien por cien. No estoy segura de nada, no estoy segura de si quiere decir lo que creo que quiere decir, no estoy segura de si la adrenalina me está jugando una mala pasada. No estoy segura de si me gusta él o me gusta Sombra. Quizá los dos. Lo que está claro es que no me gusta Malcolm Dove.

Como he dicho antes, las chicas no pensamos con claridad cuando estamos a punto de morir electrocutadas y, si Ed es una tostadora, yo soy una chica con un cuchillo. Estoy a punto de contestar algo, quizá de preguntarle qué quiere decir o de dejar que me bese, ya que me parece que por ahí va la cosa, cuando, de repente, recuerdo la nariz de

Malcolm, me lo imagino comiéndose una cucaracha, y una oleada de náuseas me sube por la garganta y estoy bastante segura de que voy a vomitar.

Creo que todos los expertos estarán de acuerdo en que vomitar mientras un chico intenta besarte es malo. Le quita las ganas a cualquiera, salvo a los muy, muy interesados, y no estoy segura de que Ed esté muy, muy interesado. Intento con todas mis fuerzas dejar de pensar en la sangre de Malcolm, pero, cuanto más me esfuerzo, más pienso en ello.

—Es la nariz de Malcolm —intento decirle a Ed para que no se haga una idea equivocada— y la cucaracha.

No quiero que piense que es la idea de su beso lo que me da arcadas.

—Échate hacia delante —me dice—. Y piensa en otra cosa.

—¿En qué?

—En algo bueno. ¿Se te ocurre algo?

Pues podemos descartar definitivamente este momento.

—Mi vidrio, me gusta mi vidrio.

—Vale, pues piensa en el estudio. ¿Cuánto tiempo llevas trabajando allí?

—Dos años —respondo, y me inclino más mientras respiro hondo—. Mis padres no podían permitirse pagarlo entero, así que limpiaba a cambio de las clases.

—El humor y la escritura no dan mucho dinero, ¿no?

—No mucho, pero tienen otros trabajos, y un día mi padre será famoso y mi madre publicará un libro. De todos modos, el dinero no hace falta.

—Lo necesitas para pagar el alquiler.

—Pero no para ser feliz.

—El vidrio te hace feliz, y eso no puedes hacerlo sin dinero.

—No —respondo, sentándome—, pero siempre hay una solución. Se encuentran soluciones. Como limpiar.

—¿Crees que podrías ser feliz así? ¿Limpiando para ganarte la vida?

—Sí, si así pudiera seguir soplando vidrio.

—Al final querrías trabajar con el vidrio todo el tiempo, ¿no? ¿Son felices tus padres teniendo que hacer trabajos de mierda en vez de lo que les gusta de verdad?

—Yo no he dicho que tuvieran trabajos de mierda —respondo, y sigo respirando hondo—. Tienen otros trabajos, pero son felices. Mi madre ha estado escribiendo un montón últimamente. Casi ha terminado su novela.

Desde que mi padre se mudó al cobertizo, ha dejado de decir que está demasiado cansada para escribir. Llega a casa, hace la cena y charlamos. Le gusta oír hablar del vidrio y de lo que he aprendido con Al; de cómo tengo que enfriar mis piezas de la forma correcta para que las presiones internas no las hagan estallar.

Después de la cena, yo hago mis deberes mientras ella escribe a toda velocidad. A veces nos quedamos hasta medianoche, parando de vez en cuando para tomarnos un té, pero sin hablar, porque mi madre dice que un artista necesita mantener la concentración. La señora J y Al dicen lo mismo. Y mi padre.

—A mi madre le gusta mucho que ella y mi padre sean artistas, aunque signifique no tener mucho dinero. Me dicen que tengo que trabajar en mi arte, pase lo que pase.

—Deja de hablar un momento y respira —me dice Ed.

Hago lo que me aconseja. Respiro y pienso en mi madre diciéndome que una persona debe hacer lo que ama y que el dinero no importa. Mi padre no se mudó al cobertizo porque discutieran por culpa del dinero. Eso habría resultado menos desconcertante.

Me siento mejor al cabo de un rato. La respiración de Ed me calma, al igual que el ruido del tráfico que llega desde la calle. Me siento y miro las olas monstruosas de la pared.

—¿Crees que es un *tsunami*?

—Los *tsunamis* no son tan pronunciados como las otras olas —responde Ed—. Si estuvieras en un barco en alta mar, el *tsunami* podría pasar por debajo de ti sin que te dieras cuenta. Solo crecen cuando están cerca de la orilla.

—No lo sabía. Podrías estar en peligro y no tener ni idea.

—Sí.

Pienso otra vez en lo que dijo Ed del dinero. Quizá mis padres discutan por eso y yo nunca me haya dado cuenta.

—Me pregunto qué hace Sombra para ganarse la vida.

—Quizá esté en el paro. Quizá no pueda conseguir trabajo.

—Compra pintura.

—A lo mejor la roba.

—Él no haría eso, no es esa clase de persona.

—Tampoco pensabas que Malcolm fuera esa clase de persona.

—Entonces, ¿crees que Sombra es un mal tipo?

Ed se rasca la cabeza y me mira.

—Deberíamos dejar de hablar, por si te pones a pensar en la sangre, los huesos rotos y la cucaracha.

Los otros llegan cuando tengo otra vez la cabeza entre las piernas y estoy respirando hondo.

—Veo que todo va genial —dice Leo.

Jazz se arrodilla y me recoge el pelo.

—¿La has emborrachado? —pregunta.

—No la he emborrachado —responde Ed—. He conseguido que Malcolm Dove la ataque. Para ser más exactos, él me ha atacado a mí y ella lo ha atacado a él. Le ha roto la nariz.

Leo se ríe al oírlo. Me da una palmada en la espalda, lo que no es muy buena idea.

—Necesito agua —digo.

Jazz y Daisy me ayudan a llegar a la fuente. Cuando me siento mejor, volvemos a la rampa de *skate* y apoyamos la espalda en el hormigón en curva para poder ver a los chicos.

—¿De qué creéis que están hablando? —pregunta Jazz—. Se han puesto intensos.

—Quizá del dinero que le debe Leo a Malcolm —respondo.

—Dylan me ha hablado de ese tío, pero creía que exageraba —comenta Daisy, abrazándose las piernas.

—Ha amenazado con agujerearle el pezón a Ed si Leo no le paga —respondo, mirando la ola de la pared—. Ha sido una noche muy extraña.

—Tengo tanto material para mi audición que me sale por las orejas —dice Jazz.

—Enhorabuena. A mí me sale por la boca —contesto, y ella me pasa chicle y un tubo de caramelos de menta; les cuento a las dos los detalles sobre el beso frustrado de Ed.

Jazz silba.

—Si no hubieras estado a punto de vomitar, creo que habrías triunfado.

—¿Crees que le he quitado las ganas?

—Diría que cabe la posibilidad. Pero también es verdad que le rompiste la nariz y volvió a por más. ¿Daisy?

—Los vómitos no espantan a un tío. Recuerdo que una vez tuve la gripe, hace un par de años, y Dylan se saltó las clases para sentarse a mi lado con un pañuelo y un cubo. Ya no hace esas cosas.

—A veces parece que te sigue gustando —contesta Jazz, dándole a ella también un poco de chicle.

—Y me gusta. ¿Sabes que coloca los libros de su taquilla por orden alfabético?

Niego con la cabeza; las personas siempre te sorprenden.

—Pero se le olvidó mi cumpleaños, es hoy.

—Entonces, a nosotras también —respondo.

—Vosotras no lo sabíais —dice ella, riendo—. Pero ahora ya lo sabéis, así que seguro que el año que viene os acordáis.

—Tendrías que habérnoslo dicho antes —comenta Jazz—. Lo habríamos celebrado.

—Quería que Dylan lo recordara solito porque el año pasado también se le olvidó. Cuando hoy me dijo que tenía algo para mí, creí que se había acordado. Y va y me tira un cartón de huevos encima. ¿A qué clase de chica le gusta un chico como ese?

Jazz le acaricia el hombro.

—El lado positivo es que los huevos son buenos para el pelo. Tienes el pelo estupendo.

—Gracias —responde ella, y estira el chicle hasta que se rompe—, aunque lo cambiaría por un regalo de cumpleaños.

—Creo que a Ed todavía le gusta Beth —digo al cabo de un rato—. Le pregunté por qué habían roto y no quiso contármelo.

—A los tíos no les gusta hablar sobre ese tipo de cosas, Luce —responde Jazz—. No tiene por qué ser una mala señal.

—Beth fue a la fiesta a buscarlo —me dice Daisy—. Él lo sabe y no la ha llamado.

—No tiene móvil.

Jazz se lo piensa un momento.

—Lo importante es que Beth no está aquí y tú sí, y que estuvo a punto de haber beso, así que tienes una oportunidad.

—Creía que te gustaba Sombra —comenta Daisy.

—Sombra es un producto de su imaginación, tiene que olvidarse de él. Ed es real y está ahí mismo, con la oreja casi agujereada.

Puede que Jazz tenga razón, sigo dividida entre Sombra y Ed, pero empiezo a inclinarme por Ed.

—¿Qué hago?

—No hables del beso frustrado —responde Jazz, después de pensárselo—. Eso mataría la posibilidad de futuros besos. La gente como Ed y tú tiene que lanzarse sin pensárselo dos veces.

—¿La gente como Ed y yo?

—Gente mojigata.

—¿Tan mala soy?

—Lo eres, y lo peor es que Beth Darling es como esa cantante de los Bleeding Hearts.

—Ay, Dios.

—No te preocupes, tú tienes tu propio estilo —interviene Daisy.

Claro que sí, puede que ella sea como la cantante de los Bleeding Hearts, pero yo también soy guay.

—Soy como Courtney Love sin las drogas, ¿a que sí? Original, llena de emoción contenida.

—Eres un ladrillo cuando tienes un chico de verdad delante —responde Jazz—. No te lo tomes a mal.

Su ex podría estar en una banda de chicas *grungies* y sensibles, y yo soy un ladrillo, y eso cuando no estoy viviendo en un mundo imaginario.

—¿Te habría costado tanto seguirme la corriente con lo de Courtney Love?

—Los ladrillos no están tan mal.

—Ya me lo dirás cuando te tire uno.

—Hay esperanza si sigues mis consejos. Deja de pensar tanto en ello, deja de desear a una Sombra que no encontrarás nunca y empieza a ligar con Ed.

—Puede que Ed necesite un casco —respondo—. Cuando ligo soy como una trituradora.

—Pues empieza despacio, éntrale con calma.

—Liga como una trituradora muy lenta —añade Daisy, haciendo un globo de chicle que le estalla en la cara.

—Bueno, ¿y qué pasa con Leo y tú? —pregunto—. ¿Os dejó para ir a por la furgoneta?

—Era como si quisiera que lo siguiera, pero no pudiera decírmelo, así que lo seguí sin que me lo pidiera.

—La defensa del acosador.

—Bailó conmigo toda la noche y me recitó poesía, estaba pidiendo a gritos un acoso. Total, que Daisy y yo los alcanzamos a Dylan y a él al cabo de un rato, y recorrimos juntos un par de manzanas. Entonces Leo nos dice que esperemos en la esquina y no nos explica por qué.

—Quizá la furgoneta tenga que ver con lo del dinero —digo, mirando a Daisy—. ¿Tú qué crees?

—Creo que Ed y Leo son buenos chicos —responde ella, encogiéndose de hombros—. Creo que Dylan es un idiota, pero que también es buen chico. Eso sí, el hermano de Leo conoce a alguna gente que da miedo. Seguramente Leo no quería que nos asustáramos cuando viéramos a quién le tomaba prestada la furgo.

—Tiene sentido —dice Jazz—. Entonces, ¿no crees que fue porque Emma estaba allí?

—No es la clase de chica que estaría en la calle a esas horas. Es la clase de chica que Leo podría presentarle a su abuela.

—¿Por qué vive con su abuela? —pregunta Jazz—. ¿Qué les pasó a sus padres?

—Ed me ha dicho que bebían mucho —contesto.

—Me he pasado dos horas bailando con ese chico y tú sabes más que él que yo —comenta Jazz, sentándose—. Yo solo sé que le gusta la poesía. Quiero decir, ¿por qué necesita el tío una furgoneta?

—A los chicos les gustan las furgonetas —responde Daisy—. No es un misterio. Pero sé a qué te refieres, es frustrante. Dylan no me cuenta casi nada.

Miramos al grupo de sombras de los tres chicos.

—Esto no va bien —dice Jazz—. Es como si estuvieran tramando algo. ¿No parece que están tramando algo?

—¿Pruebo con la patada a Dylan? —pregunta Daisy.

—Pues a lo mejor —responde Jazz, y vemos cómo se mueven sus siluetas.

Ed

Las chicas acompañan a Lucy a la fuente y yo voy directo al grano.

—Malcolm piensa agujerearme el pezón si no le das el dinero.

—No me gusta la palabra pezón —dice Leo.

—Ni a mí —respondo—. Y menos si aparece en la misma frase que compás y Ed.

—No agujereará nada cuando lo encuentre. Quédate conmigo, no pasa nada.

—Tendré que quedarme contigo el resto de mi vida si no le das el dinero. Y Lucy. Va por ahí con muchos hombres malos, Leo. Tienes que llamar a Jake y organizar refuerzos.

—Se le pasará cuando pague.

Pienso en la sangre que le manaba de la nariz y en los gritos.

—No estoy seguro, pero, al menos, Jake podría adelantarte el dinero para que se lo pagues ahora.

—No quiero que Jake le deba nada a Malcolm.

Leo parece guardarse algo. Antes de esta noche, Leo nunca se ha guardado nada.

—¿Y para qué necesitabas quinientos dólares?

—No es asunto tuyo.

—Esto hace que sea asunto mío —respondo, señalándome el *piercing*.

Dylan me mira con atención la oreja.

—¿Esterilizó el compás? Porque, si no, se te va a infectar.

—Siento decirte que no parecía muy preocupado por mi bienestar.

—Y como los hombres malos siguen en algún lugar del parque, creo que deberíamos irnos —añade Leo—. Menos mal que tenemos la furgoneta de la huida. Está bien llamarla así ahora porque vamos a usarla para huir de Malcolm.

—Ya lo pillo, Leo.

También pillo que está cambiando de tema, lo que me despierta más todavía la curiosidad sobre los quinientos dólares, así que vuelvo a preguntar.

—Ya te lo dije, lo necesitaba para mi abuela.

—¿El tinte azul ha subido de precio? —pregunta Dylan.

—Mi abuela podría contigo en una pelea, así que cállate —responde Leo, y es cierto, así que Dylan hace lo que le pide; Leo se vuelve hacia mí—. Beth me pidió que te dijera que te reúnas con ella en el lugar de siempre a las cinco de la mañana. Quería quedar antes, pero le dije que estabas ocupado.

—Genial, ahora piensa que estoy con una chica o que voy a robar algo.

—Estás con una chica y vas a robar algo —responde; después saca las llaves y las agita—. En fin, estaba pensando que solo es la una y media, así que tenemos una hora y pico antes de llevar a las chicas a casa. ¿Cómo se llama esa señora mágica que ha ido a ver tu madre en el casino? A la señorita Jazz le gustan los fenómenos psíquicos.

—¿Nos salen los secretos por el culo y tú quieres llevarlas a ver a una clarividente?

—No generalices, por mi culo no sale ningún secreto.

—No, de ahí solo te sale mierda —respondo, y Dylan da un pasito atrás.

—Vale —responde Leo—, ¿qué te pasa?

Me pasa que me han atacado por culpa suya y a Lucy casi la atacan por culpa suya, y él no quiere decirme por qué necesitaba quinientos dólares. Sin embargo, hemos estado en la situación contraria muchas veces y a Leo no le ha pasado nada conmigo.

—Nada —respondo—. Me duele la oreja. De todos modos, aunque quisiera ir a ver a Maria, no tengo dinero para la entrada.

—Toma —me dice, y me da cincuenta pavos.

—¿De dónde los has sacado?

—Jake me dio dinero para gasolina.

No los acepto porque, si lo hago, quiere decir que he aceptado dinero del trabajo y eso quiere decir que no hay salida, y todavía espero que la haya. Me imagino un dibujo que puedo hacer: un árbol del que gotea dinero por las hojas y un tío recogiéndolo. Pongo a una chica al lado y se parece mucho a Lucy, y el tío se parece mucho a mí y, cuando se besan, el dinero cae suavemente sobre sus hombros.

Leo se mete el billete en el bolsillo.

—Relájate. Si tú ni siquiera crees en los videntes... Paramos un momento en el casino, lejos de Malcolm, comemos algo y dejamos a las chicas en casa.

—¿Quién se va a casa? —pregunta Jazz, acercándose con Daisy y Lucy.

—Ed dice que a lo mejor necesita un jersey —responde Leo.

—Pero si estamos a más de treinta grados...

—Ya le he dicho que era una tontería.

—Venga, soltadlo, estáis tramando algo —insiste ella, señalándonos con el dedo.

—Relájate —dice Leo—, no tramamos nada.

Jazz pasa a señalarnos con dos dedos, uno de cada mano.

—Si Daisy tiene que darle una patada a alguien para averiguar lo que pasa, lo hará.

Daisy da una patadita en el suelo y yo me pongo delante de Dylan. La he visto en acción y sé que con una patada es capaz de hacer que el chico escupa la verdad.

—Estábamos planeando una sorpresa —explica Leo—. La madre de Ed ha ido a ver a una vidente que va a estar toda la noche en el casino, así que habíamos pensado en llevaros —dice, y me mira; no hay salida.

—Maria Contessa —añado.

—¿Maria Contessa? Es la mejor del negocio, la poli la llama para resolver crímenes. Mi madre la ha visto. Viene a Australia cada cinco años o así...

Jazz se pone a parlotear sobre la gran Maria, y yo pienso que, con la cantidad de secretos que ocultamos, vamos a ir a conocer a una clarividente que trabaja con los polis.

Leo sonríe.

—Todos a la furgoneta de la huida —exclama, y abre la marcha hacia la calle colocando un brazo sobre los hombros de Jazz.

—Así que no estás tramando nada, ¿no? —le pregunta ella.

—No estoy tramando nada.

—Prométeme que no estás tramando nada —insiste ella.

—¿Estáis Leo, Dylan y tú tramando algo? —pregunta Lucy mientras espero a que responda Leo.

Pienso en la noche en que Leo me habló desde el suelo de mi cuarto, en que me dijo que no le gustaba dormir por los sueños. Me lo contó porque a oscuras era como si no estuviésemos despiertos, como si ni siquiera fuese real.

—Te lo prometo —le responde Leo a Jazz.

—Puedes contármelo —dice Lucy, y nos acercamos más a la calle, donde los coches bañan la noche de luz solar.

Estoy a punto de decirlo, de decirle: «Oye, me has estado persiguiendo a mí, ¿qué te parece? ¿Todavía quieres hacerlo conmigo?». Sin embargo, antes de pronunciar las palabras, Leo arranca la furgoneta y me distraigo.

Está sonriendo y acelerando el motor.

—Por favor, dime que esta no es la furgoneta de la huida —digo en voz baja, apoyándome en la ventanilla del conductor.

—No te preocupes, es mejor de lo que parece.

Deja de importarme que los demás nos oigan.

—Lo que parece es rosa, parece una furgoneta VW rosa que tiene escrito «Amor libre» con unas letras enormes en el lateral.

—¿Y?

—Y que la gente se va a fijar en nosotros.

La policía se va a fijar en nosotros.

—La gente ya se está fijando en nosotros —responde Leo, y mira hacia las chicas—. Entra en silencio y lo hablaremos después.

Es otra vez lo de Jake y el Jaguar, aunque esta vez nos pillarán a Leo, a Dylan y a mí, y no nos dejarán marchar tan fácilmente. Los que nos arrastren por las orejas serán los polis, no la abuela de Leo.

No me muevo.

—Entra —insiste él, moviendo los labios en silencio.

Me voy por donde se ha ido Lucy.

—Tiene moqueta rosa en las paredes —comenta ella—. Y no hay asientos detrás.

—Siéntate en el suelo —dice Daisy—. Y agárrate así a los laterales —le explica, enseñándoselo—. ¿Ves?

Lucy asiente y se agarra al pelaje rosa de la furgoneta del amor libre. Dylan y Daisy están en el mismo lado que ella, así que apoyo la bicicleta en el lateral contrario, frente a ellos. Me quedo fuera y medito un momento. Si fuera un buen chico, no la llevaría en este viaje. Es lo que me diría Bert. Si la detienen, se acabó la universidad para ella. Dile que salga de la furgoneta y se vaya a casa.

—¿Ed? —me pregunta.

«Vete a casa —pienso—. Vete a casa, y olvídate de Sombra y de mí. Vete a casa, ponte a ver la tele, levántate por la mañana, fabrica recuerdos encerrados en cristal, estudia para tus exámenes y ve a la uni.»

Sin embargo, me sonríe y lo único que quiero es sentarme a su lado, así que me apretujo contra ella y cierro la puerta.

—¿Y de quién es esto? —pregunta, acariciando las suaves paredes rosa.

—De Dave el Loco —responde Dylan sin pensar.

—¿Habéis llevado a las chicas a casa de Dave el Loco? —pregunto.

—Esperamos en la esquina —dice Jazz—. Leo no nos dejó entrar en la casa.

Por lo menos, Leo actúa como si tuviera medio cerebro. Aunque, un momento...

—¿Esta furgoneta es de Dave el Loco? —pregunto; intento mantener la calma, pero la calma no aparece.

—¿Quién es Dave el Loco? —pregunta Jazz.

—Un tío —responde Leo—. Nadie, un amigo de mi hermano.

Me mira por el espejo y me dice con los ojos que cierre la boca. Lucy también me mira, y ahora ha llegado el momento de ordenar que pare la furgoneta y salir. Sin embargo, si lo digo, nunca jamás podré tocar ese punto de su cuello.

—Solo lo llaman así porque una vez se comió cinco cucarachas —explico; todos se ríen y se ponen a hablar sobre leyendas urbanas, como suponía que harían.

No miro a Lucy porque ella me está mirando y, si lo hago, es probable que le cuente la verdad.

Leo gira en la esquina y todos rebotamos, y la pierna de Lucy toca la mía. Echo la cabeza atrás; me palpita la oreja, las luces que atraviesan el parabrisas delantero parpadean, y todo se mezcla y quiero salir de la furgoneta, pero estamos en la autovía y no hay escapatoria hasta que Leo tome la salida, y quizá ni siquiera entonces haya escapatoria.

Cierro los ojos y pinto un grafiti en mi cabeza, un muro con un chico en sombra al lado y una carretera ensombrecida delante. Noto a Lucy junto a mí y quiero decírselo ya, contárselo todo. Sin embargo, las sombras se ríen y me preguntan de qué serviría. ¿En qué estás pensando? No puedes volver al pie de esa colina y quedarte allí con ella; tendrás que trepar hasta la cima tarde o temprano, y la gente como Malcolm siempre estará esperándote arriba.

Tuve una oportunidad cuando Bert vivía. Tenía un sitio al que ir todos los días; tenía a Beth, a alguien que mantenía las sombras apartadas de mi sangre. Pero ahora estoy solo, vagando por los museos e intentando escribir solicitudes de empleo llenas de faltas de ortografía. Solicitudes de empleo para trabajos que, en realidad, no quiero hacer.

Daisy le dice a Dylan que la deje en paz, y yo abro los ojos y lo veo apuntar con un cojín a la cabeza de la chica, pero falla el tiro y le da a Lucy.

—Ay —se disculpa Dylan, pero Daisy ataca, y los dos se ponen a pelearse, esquivando y lanzando golpes; está claro que todavía les queda el amor suficiente para asesinarse.

Lucy los mira y, de vez en cuando, ellos intentan arrastrarla a la pelea, pero ella se encoge de hombros y sigue observándolos como si fuera un partido de tenis, primero a uno y luego a otro, primero a uno y luego a otro.

—Podrías haberle hecho daño —dice Daisy.

—Es un corazón de peluche, eso no le hace daño a nadie.

—Como los huevos, ¿no?

—¿Por eso estás así? ¿Por los huevos?

—No lo digas como si fuera estúpida. Me tiraste un cartón entero de huevos.

—Exacto: un cartón entero. Reservé los últimos para ti —explicó, cruzándose de brazos—. Era una celebración.

—¿Sabes qué te digo? Que no te acerques a mí en mi cumpleaños.

—Lo que tú digas. ¿Sabes qué te digo yo? Que se acabó. A, ce, a, uve, o.

—Lo has deletreado mal, imbécil —responde Daisy, riéndose—. Es con be.

—Eso he dicho.

—No, qué va, ¿a que no, Lucy?

—No estoy segura. ¿Podemos abrir una ventanilla? Me parece que me estoy mareando un poco.

—Eres idiota —le dice Daisy a Dylan—. He estado saliendo con un idiota.

—¡Leo! —grito—. Abre tu ventanilla, deprisa.

—No tienes derecho a llamarme idiota si ya no estamos saliendo. Todavía me queda algo de dignidad.

—Te has puesto un listón muy alto: solo tus novias pueden llamarte idiota.

—¿Por qué estás tan cabreada conmigo? La semana pasada estábamos besándonos detrás de las naves —dice, y se vuelve hacia Lucy—. ¿Tú sabes por qué está tan cabreada?

—¿Por qué iba a saberlo ella? —pregunta Daisy—. ¿Por qué no me lo preguntas a mí?

Mientras Dylan y Daisy se gritan, Lucy se pone cada vez más pálida, pero ellos no se dan cuenta y siguen a lo suyo.

—¿Os queréis callar los dos? ¿No veis que está mareada? —les digo.

—Dejadme salir. Dejadme salir —dice Lucy.

—¡Para la furgoneta, Leo! —grito.

Daisy la mira.

—Está a punto de potar, para la furgoneta.

—Voy por el carril derecho de una autovía.

—¡Para la furgoneta! —gritamos todos, y Lucy deja caer la cabeza. Le pongo la mano en la espalda y la sostengo para que no se balancee. Me gusta mucho sostenerla, aunque suene penoso, teniendo en cuenta la situación.

—Tranquilo todo el mundo —nos dice Leo, y la furgoneta se mueve, así que la sujeto con más fuerza.

Nos detenemos, ella sale y cae de rodillas. No vomita, se queda arrodillada, pero no vomita.

—Es muy sensible, ¿no? —comenta Daisy.

Le retiro el pelo de la cara, veo la peca del cuello y pienso en lo mucho que me gustaría acercarme más. «Para eso tendrías que ser un tío distinto», me dicen las sombras. Quizá pueda serlo. Quizá haya una manera de ser un tío distinto. «¿Qué manera?», preguntan las sombras, pero no tengo respuesta.

Los otros cruzan la carretera para ir a la gasolinera a por comida. Miro a mi alrededor en busca de un sitio en el que esperar con Lucy que no sea la escena de la casi pota.

—Tengo una idea —digo, y me subo a la valla de al lado de la furgoneta.

Estoy a la altura del techo, pero necesito estar más alto. No hay forma de llegar al techo sin colocarse en el mismísimo borde de la valla, y me parece que caer gritando al suelo arruinaría mi imagen de tío guay.

—Para subir así tendrías que ser Superman.

—¿Y no lo soy?

Ella sonríe y abre un poco la puerta del conductor. Después se sube a la valla y usa la puerta abierta de escalón para subir al techo.

La sigo.

—Algunas chicas tienen el detalle de dejar que los chicos parezcan guays —comento.

—¿Qué chicas?

No tengo respuesta.

—No soy tan guay —dice ella, tumbándose en el techo—. Estoy siempre a punto de vomitar.

Me tumbo a su lado e intento hacerla reír contándole la historia de cuando vomité en el coche, a los nueve años. Incluyo todos los detalles humillantes, incluso el del autobús escolar lleno de chicas que me vio.

—Me dejó marcado para toda la vida.

—Seguro que a ellas también —responde, tirando de la muñequera—. No me he mareado por la furgoneta.

—¿Todavía estás pensando en la sangre? —pregunto, volviendo la cabeza para mirarla; estamos lo bastante cerca como para tocarnos, pero no lo hacemos.

—No, tampoco era eso.

Me quedo mirándola y ella se queda mirando el cielo, pero, en realidad, está mirando otra vez esa cosa que tiene dentro de la cabeza.

—Mis padres discutían así, casi exactamente igual que Dylan y Daisy. Era como un partido de tenis sobre las cosas más estúpidas. Una vez, mi madre le dijo a mi padre que se metiera el mando a distancia por la úvula.

—Eso suena fatal.

—Es la campanilla, la cosita que cuelga al fondo de la garganta.

—Entonces no suena tan mal como me pensaba.

—Él le dijo a ella que se lo metiera por el chiste.

—Tus padres son un poco raros.

—A veces. En general son estupendos. Solo discutieron así un par de meses y, después, se calmaron. Ya no lo hacen. El tema es que Dylan y Daisy me recuerdan aquellos momentos.

—Me alegro de no tener padres que se peleen —comento—, aunque eso suponga que mi madre y yo estemos solos.

—Jazz dice que mis padres van a divorciarse.

—¿Y tú qué dices?

—Digo que probablemente tenga razón —responde al cabo de un momento.

Quiero tomarla de la mano, aunque no estoy seguro de si puedo, ni de si debo. Es como estar en una escalera poco firme en uno de esos cuadros surrealistas. Esta noche ha salido de la nada y flota en el aire, a medio terminar.

Al otro lado de la calle, oigo a Daisy chillar a Dylan.

—¿Por qué está tan cabreada? —pregunto.

—A Dylan se le ha olvidado su cumpleaños.

—¿Es por eso? Se lo diré para que le compre una tarjeta.

—Me parece que no es tan sencillo —responde ella, y alza los brazos al cielo para atrapar las estrellas.

Lucy

—Me parece que no es tan sencillo —le digo a Ed.

Si tratas bien el cristal, no se rompe. Si conoces sus propiedades puedes hacer cosas del color del atardecer, la noche y el amor. Sin embargo, no puedes controlar así a las personas, cosa que me vendría muy, muy bien. Quiero que el mundo sea de cristal.

Creo que, en cuanto vi a mi padre bebiendo limonada delante del cobertizo, supe que no volvería a dormir en casa. Creo que lo supe cuando oí el silencio que dejó atrás. No sé por qué se van a divorciar. Sí sé que todavía se quieren, aunque supongo que el amor es como una esponjita dulce dentro de un microondas funcionando a toda potencia: cuando estalla, sigue siendo una esponjita, pero, en fin, se convierte en una esponjita muy complicada. En aquellos dos meses de discusiones, antes de que mi padre se mudase, estallaron un montón.

La razón por la que me gusta tanto ese cuadro de Rothko es porque, como dijo Ed no tengo que expresar con palabras lo que siento. Lo miro y, mientras lo contemplo, entiendo algo sobre el amor: no es rosa, es de distintos tonos de rojo que se derraman unos sobre otros. Mis padres están en algún punto entre esos tonos de rojo. Estaban más cerca del escarlata cuando se peleaban, pero, desde que mi padre se mudó, se ha creado una burbuja de silencio alrededor de mi madre. Ya casi ha terminado su libro, no salta por cualquier cosa y, a veces, la pillo estirándose en la cama como si fuera una estrella de mar y suspirando. Mientras tanto, mi padre clava un número nuevo en la puerta del cobertizo. Entonces, ¿por qué no se deciden de una vez y se divorcian? Supongo que siguen juntos por mí.

Esa idea era la que me había dado ganas de vomitar. Intenté tener una experiencia extracorpórea en la furgoneta, pero no sirvió de nada: las chicas no podemos levitar para huir de la verdad. De todos modos, aunque pudiéramos, tarde o temprano volveríamos a caer en el mundo real.

Y mis padres, tal como son, divorciados o no, están bien. Vale, son algo raros y el gran amor que compartían terminó siendo un puré de patatas imposible de volver a hidratar, pero su forma de quererme es para siempre. Nunca me mandarán a dormir al cobertizo.

Levanto los brazos y dibujo unos cuantos deseos en el aire. Dibujo a mi padre en un lugar con una bonita vista y una buena cafetería al volver la esquina, un sitio que no esté muy lejos de mí. Dibujo un cobertizo en el que no esté él. Meto dentro un escritorio para que mi madre pueda usarlo de despacho. Son dibujos complicados, así que también dibujo algo simple.

Me dibujo besando a Ed.

—Ha sido una noche muy larga —dice—. Ya casi estamos en la parte vacía.

—Y todavía tenemos que volver a la furgoneta rosa y llegar al casino.

—Ni siquiera has conocido a Sombra.

—Pues la verdad es que empiezo a perder interés en el tema —respondo.

Me vuelvo para mirarlo y él me está mirando, y nuestras narices están casi tocándose. Tiene unos diminutos puntitos de pintura blanca en las orejas.

—¿Quieres decir que ya no quieres hacerlo con un tío al que le guste el arte? —me pregunta, y lo dice de una forma que me produce más de un cosquilleo.

—Hay más tíos a los que les gusta el arte. A ti te gusta el arte.

«Venga —pienso—. Vamos, dame un beso.»

—Lucy, tengo que contarte una cosa.

«Te mueres por besarme, lo sabía.»

—¿El qué?

—Es sobre Sombra, sobre Sombra y sobre mí.

«Deja ya de hablar, chaval. Agárrame el culo.»

—Sí que lo conozco. Quiero decir, que lo he conocido. No te lo había dicho porque creía que a lo mejor te decepcionaba. Que él te decepcionaba. No es como crees. No es mal tipo, pero perdió su trabajo hace tiempo y a su madre no se le da demasiado bien pagar las facturas. Todo ese romanticismo que buscas, ese tío perfecto que tienes en la cabeza, no tiene nada que ver con él.

—No necesito a un tío perfecto, pensarlo fue una estupidez —respondo.

Ya no me refiero a Sombra. No quiero que Ed piense que no me gusta solo porque nuestra primera cita no fuera perfecta. Pienso en la pareja que se besa con los ojos vendados: ¿quién decide lo que es perfecto y lo que no? Ahora mismo estaría dispuesta a besar a Ed con una bolsa en la cabeza. Así que es cierto lo que dicen sobre las hormonas adolescentes... Me parece que estoy descontrolada. No es muy Jane Austen por mi parte, pero sienta bastante bien.

El problema es que ahora Ed se ha puesto en plan Jane Austen y no deja de hablar. Quiero ordenarle que se calle, que tanta charla y tan poca acción me resulta un poco frustrante.

—Ni siquiera se acerca al tipo de chico que quieres —dice él, y se sienta.

—Vale, lo capto: Sombra, malo.

Ed, bueno. Lucy, estúpida. Todo es mucho más sencillo de lo que yo creía. Ahora, túmbate otra vez.

—No, no lo captas —responde, apoyando los codos en las rodillas y tamborileando sobre las botas—. Sombra piensa robar algo esta noche, va a robar en tu instituto. En el edificio de audiovisuales.

—¿En el edificio de la señora J? ¿Va a robar a otros artistas? —pregunto, y me siento para pensarlo—. ¿Va a robar? Es un delincuente.

—Bueno, eso ya lo sabías. Es un grafitero.

—No es lo mismo que ser un ladrón.

Ed asiente lentamente y sus ojos escapan con cada coche que pasa por la autovía.

—No es lo mismo —repite.

Yo también observo los coches. Los observamos durante un siglo. No somos más que dos personas atrapadas a un lado de la carretera, solas en el techo de la furgoneta del amor libre. No sé bien en qué piensa Ed, pero yo pienso en lo equivocada que puede llegar a estar una persona.

—Mucha gente yendo a alguna parte —dice al final Ed—. Ese azul, ¿adónde crees que va?

Ya he jugado a esto antes.

—Al desierto, al polvo rojo y el silencio caliente.

—El desierto es feo. Está prácticamente muerto, ¿no? —pregunta Ed.

—No si sabes dónde mirar —respondo, y le doy tres tirones a la muñequera en busca de suerte y valor para decir lo que pienso—. No pasa nada por no haberme contado lo de Sombra —digo, y le doy otro tirón—. Lo entiendo. De todos modos, las cosas han cambiado.

Me muevo para tocar con mi brazo el suyo. Él también se mueve.

Estamos sentados en un lugar que es real y no algo que me he inventado para seguir adelante. Sombra no puede robar en el instituto; es capaz de pintar océanos. Es capaz de hacer lo que se proponga. Estoy rozándome contra el cuerpo de Ed.

Araño la pintura de la furgoneta con las uñas y la descascarillo un poco.

—¿Sabes qué? —comento—. Creo que, en otra vida, esta furgoneta fue azul.

Ed

La estoy mirando directamente. Solo queda un movimiento entre su peca y yo, podría inclinarme y empezarlo todo entre los dos.

—Lucy, tengo que contarte una cosa.

Ella me pregunta el qué y yo le digo que es sobre Sombra.

—Es sobre Sombra, sobre Sombra y sobre mí.

Por fin lo he dicho. Estoy pintando un muro para nosotros, una Sombra que retrocede hasta introducirse en la persona que la proyecta y hacerse sólida. Sin embargo, no puedo pensar con la suficiente rapidez las palabras para contárselo, así que ella rellena los huecos por mí y, en algún punto entre contarlo y oírlo, me encuentro sentado en vez de tumbado a su lado.

—Es un delincuente —me dice.

Y lo soy, pero no lo soy, y quiero darle al botón de pausa y pintar un muro en el que se lo explico todo. Un muro que empieza hace un año y continúa hasta ahora mismo. Un tipo al que las ideas le dan vueltas y más vueltas en la cabeza sin poder salir al exterior. Un tipo con las puertas del cerebro abiertas al mundo, pero cerradas a él. Un tipo sentado a un lado de la carretera, viendo cómo pasa un coche azul.

Ella me dice que el coche va al desierto, que no es un lugar feo, que, si supiera dónde buscar, vería signos de vida. Estoy cansado de buscar, quiero algo fácil. Quiero subir a uno de esos coches e ir a alguna parte en la que pueda pintar en el aire para que la gente sepa lo que pienso sin tener que decirlo en voz alta.

Se me acerca más, yo me acerco más, y vuelvo a estar en ese muro, pintando aquel fantasma dentro del tarro. Me rozo contra su cuerpo. Ella me sonríe y estoy perdido. Me dice que la furgoneta en la que estamos sentados fue azul en otra vida. Quiero creérmelo.

Leo y los chicos vuelven a cruzar la autovía, y nosotros bajamos del techo y nos metemos otra vez en la furgoneta. Leo arranca y yo hablo para oírla responderme.

—El rosa es un color de mierda.

—Depende. El año pasado, la señora J nos llevó a una exposición de una artista que se llamaba Angela Brennan. Tenía un montón de cuadros muy intensos: rosas, verdes y rojos. Creo que te habría gustado.

—No soy muy de rosa.

—Te habría gustado el título. Se llamaba: *Todo es lo que es y no otra cosa.*

—Sería más fácil si todos llamáramos a las cosas por su nombre.

—¿Qué harías si no trabajaras en la tienda de pinturas? —me pregunta.

—Trabajaría en McDonald's, seguramente.

—Qué va.

—Qué va. Estudiaría Arte, supongo, pero no terminé el último curso.

—En la Monash University puedes hacer un curso que es como el penúltimo curso, pero, si lo haces bien, vas directo a la uni. Al me lo contó hace un par de años.

—¿Y solo tienes práctica?

—Supongo que habrá algunos trabajos teóricos, pero casi todo es práctico. ¿Por qué no solicitas el ingreso? —pregunta.

—No tengo dinero para hacer un curso.

—Puedes conseguir una beca y seguir trabajando en la tienda a tiempo parcial.

—A lo mejor —respondo, y veo que Leo nos mira por el espejo retrovisor.

Sin embargo, como dice esa señora, todo es lo que es y no otra cosa. No puedo redactar y no tengo trabajo en la tienda. No tengo opciones. Quizá las cosas habrían sido distintas de haber oído lo del curso cuando Bert estaba vivo. «Quien no arriesga, no gana», me habría dicho antes de ayudarme a entrar.

Leo para en un aparcamiento al lado del casino. La noche aquí es densa y ruidosa, a pesar de ser casi las dos de la mañana. Nos acercamos y vemos cómo la gente entra en la luz.

La cola para ver a Maria llega hasta la parada de taxis. Supongo que mucha gente de la ciudad anda en busca de la magia. Mi madre le daría sus últimos cinco dólares a esa mujer a cambio de un poco de esperanza, y cuando una persona pone tanto empeño en sus esperanzas, está muy mal aceptar su dinero.

—Tengo un mal presentimiento —le digo a Leo y a Dylan mientras las chicas están en el servicio—. No quiero entrar.

—Llevas años diciéndole a tu madre que esto es una estupidez, ¿de repente te lo crees? —pregunta Leo—. Maria Contessa no va a desenmascararnos delante de las chicas.

—No puedo explicarlo, pero no quiero entrar.

—Yo sí —dice Dylan—, quiero averiguar por qué está tan cabreada Daisy.

—Se te ha olvidado su cumpleaños —respondo.

Se le dilatan un poco las pupilas.

—Sabía que tenía que comprar otra cosa, además de los huevos. No entréis sin mí. Decidles a las chicas que estoy en el servicio o lo que sea.

Sale corriendo hacia las puertas y desaparece dentro del casino.

—En serio, no voy a entrar —le repito a Leo mientras esperamos—. Le voy a preguntar a Lucy si quiere ir a por algo de comer antes de que la llevemos a casa. Me reuniré con vosotros aquí a las dos y media. En media hora tenemos tiempo de sobra para dejarlas y llegar al instituto.

—Sé que estás cabreado conmigo —dice Leo—. Y sé por qué.

—No es nada, solo me preocupa que nos pillen.

—No sabía que la furgoneta era de Dave el Loco. Jake me dijo que fuera a Montague Street y, cuando me di cuenta de que era su casa, ya era tarde para echarse atrás. Pero le dije a Jazz que no podía entrar conmigo.

—Lo sé.

—No soy un completo imbécil. No he perdido el control.

—Te gusta de verdad, ¿no?

—Come un montón de chupa-chups. Más que yo rollitos de salchicha.

—Eso es decir mucho.

—Ya te digo —responde, y se queda mirando las puertas, esperando a que salga por ellas—. Ojalá no hubiera pedido prestado ese dinero. Si se me ocurriera otra forma de conseguirlo sin robar en el instituto...

—Pues pensaremos en algo. Lo arreglaremos de otra forma con Malcolm.

—No hay otra forma. Llevo pensándolo toda la noche, mientras Jazz bailaba a mi alrededor. No podía pensar en otra cosa. De todos modos, tú no deberías venir conmigo, es mi problema.

—Si tú vas, yo voy.

Nos da la impresión de llevar horas mirando las puertas, esperando a que salga lo que queremos que salga por ellas. Una luz parpadea sobre nuestras cabezas y nos convierte en sombras nerviosas. Al cabo de un rato, Leo dice:

—Quiero contarle que soy Poeta. No para tirármela, solo para que lo sepa.

—La pescadilla que se muerde la cola —respondo—. Cuando se lo cuentes, no te la podrás tirar.

—Lo sé, pero quiero hacerlo de todos modos —me asegura, y yo asiento con la cabeza.

—¿Cómo quieres que se lo contemos a las dos? ¿Sinceridad extrema?

—Ese es el plan —responde, y entonces las vemos salir por las puertas—. Esto tiene mala pinta.

—Ya te digo.

«Todo es lo que es», pienso cuando veo a Raff, Dylan y las chicas acercarse a nosotros. Pero me gustaría que fuera otra cosa.

Lucy

El casino está cargado de electricidad, de todo lo que llevo dentro. En el servicio nos apretujamos las tres dentro del cubículo de la verdad.

—Ed es el elegido. Es Ed —anuncio—. No Sombra. Ed tiene un pelo estupendo. Me escuchó cuando le conté lo de mis padres y me parece que no lo espanté con lo del vómito.

—Cualidades importantes todas ellas —dice Jazz—. Pero ¿y la más importante?

—Electricidad estática. Sin duda.

—Lo sabía —responde ella, sonriendo—. Lo presentía.

—¿Presientes algo sobre mí? —pregunta Daisy—. ¿Sobre mi estática?

—Sí, creo que vas a conocer a alguien que te provocará más chispas que Dylan.

—¿De verdad?

—Claro que sí —responde Jazz—. Lo que tienes que hacer es escribir una lista de todas las cosas que quieres y después contárselo al universo. Y te lo dará.

—¿Y quién es el universo? —pregunta Daisy—. La gente siempre está hablando sobre él, pero el universo debe de tener mejores cosas que hacer que espiar a tres chicas dentro de un servicio público.

—El truco con la teoría del universo es no darle demasiadas vueltas —responde Jazz.

—Vale —dice Daisy, y saca el pintalabios para escribir una lista en la pared del servicio.

—Así que Ed y tú... —comenta Jazz—. Leo y yo. Las cosas están saliendo incluso mejor de lo que pensaba.

—Me siento estúpida por haber estado persiguiendo a Sombra tanto tiempo. ¿Crees que he sido una estúpida?

—Así son las cosas. La mayoría de la gente no sabe lo que quiere hasta que lo tiene delante de las narices.

—Me gusta tener a Ed delante de las narices.

—Me parece que el sentimiento es mutuo.

—Ya he terminado —anuncia Daisy, mirando la lista—. Así es el chico que quiero conocer.

Me lo leo.

—Es una lista interesante, no he conocido a ningún chico que me haga la plancha en el pelo mientras ve el fútbol.

—Pero vendría bien, cuesta llegar a la parte de atrás —dice Jazz.

—Sí, también sería útil tener a un chico que hiciera unos sándwiches calientes de queso y tomate buenísimos —digo, leyendo más—. Y uno que trabajara los sábados en la frutería de tus padres sin quejarse, aunque le diera un poco de miedo tu madre.

—Y menuda suerte pescar a un chico que todavía te quiera, a pesar de que lo hayas llamado idiota dentro de una furgoneta rosa en la autovía —añade Jazz.

—Así que quieres a un chico que bese exactamente como a ti te gusta porque tú le has enseñado cómo hacerlo. Son todas cualidades muy importantes —le digo.

—Lo son —responde Daisy.

—¡Daisy! —grita Dylan, golpeando la puerta del servicio—. ¡Sé que estás ahí dentro! Sal aquí, tengo que darte un regalo.

Jazz abre el cubículo de la verdad.

—No te emociones demasiado, pero creo que el chico de tus sueños de váter está llamando a la puerta.

—El universo debe de tener una noche muy tranquila —dice Daisy.

Salimos, y Dylan le da un ramo de flores.

—Feliz cumpleaños —le desea, y sonríe; no hay por qué contarle a Daisy que seguramente se lo haya chivado Ed.

—Tengo un buen presentimiento —dice Jazz.

—Y yo.

—Feliz cumpleaños —le dice también a Daisy el chico que está con Dylan.

—Gracias, Raff —responde ella, y nos lo presenta—. Lucy, Jazz, estos son Raff, Pete y Tim. Chicos, estas son Lucy y Jazz.

Salimos del casino para volver con Ed y Leo. Daisy le pregunta a Dylan cómo se ha acordado.

—Tus gritos de antes me refrescaron la memoria —responde él—. No dejaba de preguntarme por qué me habías gritado que no me acercara a ti en tu cumpleaños.

—¿Así que las dos vais al instituto con Daisy? —nos pregunta Raff a Jazz y a mí.

—Sí, hemos estado celebrando la última noche del último año con Ed y Leo. Están fuera —le explico.

—Pete, Tim y yo también lo estamos celebrando.

—¿A qué instituto vais? —le pregunta Jazz, y sé que piensa sacarles información sobre Leo; me lee el pensamiento y sonríe.

—Delaware High —responde Raff.

—¿Y cómo conocisteis a Dylan?

—Leo, Ed y él están en nuestro equipo de fútbol.

Leo y Ed nos observan desde la cola. Están de pie bajo un cartel que parpadea y los ilumina un segundo, para después ocultarlos el siguiente. El parpadeo es lo que me despierta; la cara de Ed, a la luz y a la sombra. Es por la forma en que me mira, nervioso y triste, con los hombros caídos como aquel mar decepcionado. Por la forma en que parece enjaulado, perdido y aplastado por los bordes. Mueve la mano para saludarme, y la luz la convierte en un pájaro.

—¿Sabías que él es Sombra? —le pregunto a Raff, esperando que me diga que soy tonta y así poder volver a tener a Ed justo delante de las narices.

—Sí —responde—. Creía que solo lo sabíamos Dylan y yo. Sus grafitis con Leo son de los mejores que he visto.

La luz que baña a Ed y Leo parpadea una y otra vez.

Jazz también los mira.

—Una pregunta rápida: ¿somos las chicas más estúpidas del mundo?

—Seguramente —respondo, lo bastante cerca ya para distinguir la cara de preocupación de Ed.

Ed

Veo el instante en que Raff se lo cuenta. Lucy detiene el pie en el aire medio segundo, y después lo baja al suelo y sigue andando. No me quita los ojos de encima.

—Sombra —dice cuando estamos lo bastante cerca como para tocarnos.

No me molesto en mentir.

Leo se aparta arrastrando los pies. Los arrastra, sigue arrastrándolos.

—No te muevas, Poeta —dice Jazz.

Leo esboza la misma sonrisa que le puso a su abuela el día que lo pilló meándose en las rosas.

Daisy tarda un poquito más en pillarlo que Lucy y Jazz, pero por fin lo entiende.

—Mentiroso —suelta, y tira las flores al suelo.

Me quedo mirando a Lucy y ella me devuelve la mirada.

—Seguro que te has reído mucho con las cosas que te he contado sobre Sombra —me dice.

—No me he reído de ti —respondo, y avanzo hacia ella.

—Sí que te has reído, un montón. Así que en parte te habrás reído de mí y de las cosas que te he contado.

—No fue idea de Ed —interviene Leo—. Fui yo el que dije que sería divertido.

Jazz se lo piensa un momento.

—¿Creías que pasarte toda la noche mintiéndonos sería divertido? —pregunta, y se lo piensa un momento—. ¿Te pareció gracioso seguirme la corriente con lo de la poesía y recitarme versos? Cuando estuvimos bailando, ¿en realidad te estabas riendo de mí?

Leo tiene la misma expresión que aquella noche en casa de Emma. Se queda mirando a Jazz, está a punto de tocarle el pelo, pero entonces retira la mano y hace algo que nos sorprende a todos.

Sale corriendo.

Se da media vuelta y sale corriendo, apartando a la gente de su camino a empujones, dando tumbos entre la multitud. Él entero, con sus casi dos metros de altura. Queda bastante claro que no está hecho para el crimen. Dylan tampoco, porque mira a Daisy y sale corriendo también. Lo mismo hacen Raff y sus amigos. Jazz y Daisy salen corriendo detrás de todos ellos.

Yo no corro y Lucy no se mueve, sigue ahí, frente a mí, todo boca y ojos.

—Supongo que estamos en paz —me dice.

—No lo he hecho para vengarme. —Mierda, no lo he hecho por eso—. A lo mejor al principio sí. Antes de la fiesta, no lo sé, pero después...

Aunque lo que digo no tiene mucho sentido, sigo hablando porque sus ojos me han dejado clavado en el sitio.

Ahora sabe que soy él, que estoy sin trabajo, que pienso robar el instituto más tarde. Lo sabe todo, pero desconoce el porqué.

—En tu cabeza, Sombra era una persona genial, y yo no soy nada —explico, y sus ojos me siguen taladrando—. Apenas sé leer.

Noto dentro de mí todos esos años de correr sin poder alcanzar a nadie. Vuelvo a estar en la autopista, como el tío del cuadro, de vuelta a un lado de la carretera con el hormigón dando vueltas y ninguna forma de conseguir que la gente lo oiga o lo entienda, porque tendrían que estar dentro de mi cabeza para hacerlo.

Lucy deja de mirarme; se queda ahí, sin mirarme, sin hablar, y pienso en aquel trabajo de Arte, en payasos pajilleros, en Fennel y en aquellos pájaros de mis muros, aleteando en los ladrillos. Pienso en el fantasma dentro del tarro. Pienso en que las esperanzas que me dio Bert terminaron al verlo tirado boca arriba en el pasillo tres, con las manos encogidas como las garras de un pájaro, el viejo rostro hundido y el anciano corazón parado. Pienso en Leo y en los sueños que tanto teme tener. Y pienso en lo mucho que deseo que Lucy me diga algo que cambie mi forma de verme. Quiero pintar un muro ahora mismo y poner esas palabras en su boca, pero no sé cuáles serían.

Leo lleva la furgoneta a la parada de taxis y grita:

—Si vas a venir, sube, que ya es hora. De sobra.

—¿No vas a decir nada? —pregunto a Lucy, que es un muro en blanco; por mucho que Leo toque el claxon y chille, no puedo irme hasta que conteste—. ¿Supone todo esto un problema?

Ella abre la boca, Leo toca el claxon y, si ella dice lo que quiero que diga, no subiré a la furgoneta.

—Sí —responde.

Y todos los pájaros de aquel muro caen del cielo. Los veo caer y quedar tumbados con el buche hacia el cielo. Una nevada de pájaros que cubre el suelo. Después pintaré ese cielo vacío y los pájaros abajo. Lo pintaré y sabré que hay algo peor que estar atrapado en un tarro: no estar en ninguna parte.

Lucy

—Sombra —digo, y sé, por su cara, que es cierto.

Lo miro y toda la noche encaja: la pintura en las manos, en la ropa y en las botas; cómo sabía dónde encontrar los grafitis; la mirada entre Leo, Dylan y él; que se riera cuando le dije que quería hacerlo con Sombra; que se riera cuando le dije que quería hacerlo con Sombra. Esa última idea se repite en bucle y no hay manera de pararla.

—Seguro que te has reído mucho con las cosas que te he contado sobre Sombra.

Él responde que cree que no, pero yo recuerdo que se ha reído de mí, de todas mis ideas sobre el amor y el romanticismo.

No deja de mirarme y yo intento verlo como Sombra, el chico que pinta la noche. Lo veo solo, a oscuras, mientras todo lo que piensa aparece a su alrededor: pájaros pintados, entradas pintadas y olas monstruosas; un fantasma atrapado en un tarro.

Jazz también está atando cabos. Lleva toda la noche hablando con Poeta: su chico real era ficticio; mi chico ficticio era real. Los taxis van y vienen, y me hacen pensar en mi padre, en que nada es lo que parece ser. En que el amor es más difícil de resolver que un *sudoku*.

Sabía desde el principio que Dylan ocultaba algo, pero, en realidad, no quería saberlo. Solo quería encontrar a Sombra, encontrar lo que lleva faltando en mi casa desde que mi padre se mudó al cobertizo. Quería flores colgadas del techo, quería hacerlo con Sombra. Dios mío, cuando tenga tiempo tengo que meter eso en una botella de la memoria y romperla con el martillo más grande que encuentre. Tengo un cosquilleo a la inversa. Es como si alguien me hubiera bañado en plástico y me hubiera conectado a tierra. Todo está embotado.

Jazz grita a Leo y pone la misma cara que puso cuando vimos *El diario de Noa*. Supongo que ahora sabe lo que pasa y que los días ya han empezado a caer como piezas de dominó. Leo ni siquiera se queda para explicarse, sale corriendo. Eso es lo que pasa: Leo, cero. Dylan también, porque sale corriendo como un cobarde detrás de Leo. Se le olvida el cumpleaños de Daisy, le tira huevos y miente para echarse unas risas. Jazz y Daisy salen corriendo detrás de ellos.

—Supongo que estamos en paz —le digo a Ed cuando nos quedamos solos.

Las palabras le salen dando tumbos de la boca, aunque no tienen sentido, y no sé si es por él o si soy yo la que no oye bien por la puesta a tierra de antes.

Me quedo mirándolo, intentando verlo como es, no los trocitos que he ido recogiendo esta noche. Pero no lo entiendo. Sombra, Ed, el robo del instituto, con Beth, sin Beth, con trabajo, sin trabajo. No veo la verdad.

—Apenas sé leer —confiesa, y entonces sí veo la verdad.

Todo encaja y lo veo a él. Su rostro está un poco torcido durante un segundo, como si intentara mantener las piezas unidas, como si intentara mantener la forma que muestra al mundo, pero ya no fuera capaz de hacerlo y todo lo que lo compone se le escurriera. Aparto la mirada porque es más fácil mirar las luces que mirarlo a él.

Leo lleva la furgoneta a la parada de taxis.

—Si vas a venir, sube, que ya es hora. De sobra.

—¿No vas a decir nada? —me pregunta Ed—. ¿Supone todo esto un problema?

En su voz oigo todo lo que ha pintado en su vida: oigo la persona de la playa, mirando las olas; oigo los corazones mecidos por terremotos y los mares decepcionados. Me obligo a mirarlo porque necesita que lo miren, necesita que lo vean. Odio que lleve tanto tiempo solo, pintando lunas de grafiti y pájaros emparedados, y callándose lo que realmente es.

—Sí —le digo.

Él se sube a la furgoneta y se va.

—¡No había terminado! —grito a la furgoneta—. ¡Sí, para ti! ¡Supone un problema para ti!

Me da igual que no sepas leer. Me dan igual las mentiras y el robo en el instituto. Me da igual que no tengas trabajo.

La furgoneta rosa desaparece calle abajo como una puesta de sol a la inversa, a juego con mi cosquilleo a la inversa. Los observo marcharse y pienso en la primera vez que hice algo de vidrio y se rompió porque no lo traté bien. Es la segunda vez que golpeo a Ed en la cara. Apostaría a que no vuelve a por la tercera.

Me siento en un banco de la puerta del casino, y me dedico a balancear las piernas y a esperar a Jazz y a Daisy. Las luces del puente envían mensajes en morse: ve al instituto, habla con Ed, dale esas palabras tan importantes que te han faltado y evita que robe nada. Dile que es demasiado bueno para eso, demasiado listo, demasiado dotado. Llévalo al estudio de Al y enséñale cómo el vidrio se convierte en otra cosa si sabes cómo darle calor. Si sabes cómo enfriarlo.

Mientras espero, crece el impulso de salir corriendo detrás de él. Si tuviera mi bici iría directamente allí, pero está en la parte de atrás de la furgoneta.

¿Dónde estáis, Jazz y Daisy? Por favor, por favor, por favor, que llegue a tiempo. Antes de que detengan a Ed, para que pueda contarle que no me importa que no tenga trabajo; decirle que sí que es listo y gracioso; decirle que algunas de mis creaciones más bellas tienen grietas y que me gustan así de todos modos por sus colores.

Vamos, Jazz y Daisy. Tenemos que llegar a tiempo. Por favor, por favor, por favor, que llegue a tiempo.

Por fin, después de muchos «por favor», aparecen doblando la esquina.

—Los hemos perdido —explica Daisy—. Seguramente han ido a Barry's, que está abierta toda la noche. ¿Tienes muchas ganas de vengarte?

—Me apetece más una hamburguesa con patatas fritas —responde Jazz—, así que imagino que no muchas.

—No han ido a la cafetería —respondo—. Han ido a robar el instituto. Me lo contó Ed.

—¿Cómo es posible que no viera venir nada de esto? —pregunta Jazz—. Tendré que dejar mi trabajo de pitonisa en la cafetería, no puedo seguir aceptando dinero de nadie.

—Cuesta ver algunas cosas —le digo.

—Cuesta ver cualquier cosa cuando tienes los ojos cerrados. Siento haberte metido en esto, Luce. Creía que en mi noche de acción no habría tanta... acción, ya sabes.

—Quiero ir al instituto —digo, mirando el único taxi que queda en la parada—. ¿Tenéis dinero? Solo llevo quince dólares.

—No sé, Luce, si nos pillan con ellos en el instituto...

—Nos despedimos de la uni y vamos a la cárcel —concluye Daisy por ella—. Dylan ni siquiera necesita el dinero, sus padres se lo pagan todo. —Entonces se queda pensativa un segundo—. Menos nuestras vacaciones —añade, sonriendo—. No quiere que salga con un surfero.

—No quiero que detengan a Ed —insisto, mirando a la gente que se arremolina a nuestro alrededor; en cualquier momento se irá el taxi y, si tenemos que esperar a otro, quizá no lleguemos a tiempo—. No tenéis que venir conmigo.

Por favor, venid conmigo.

—¿Y si intento llamar a Leo? —pregunta Jazz.

—Yo probaré con Dylan —dice Daisy.

Las veo marcar. Por favor, por favor, por favor.

—Creo que Leo lo ha apagado, porque no responde.

—Lo mismo —dice Daisy.

Camino a paso rápido hacia el taxi para no cambiar de idea. No quiero pensar en la cara que pondría la señora J si me detienen como sospechosa en el robo del instituto.

Daisy se mete en el asiento del copiloto y da la dirección, mientras yo me siento detrás con Jazz.

—Luce —me dice—, no quiero que mañana mi diario ponga: «Pasé toda la noche fuera. Fui a la cárcel». Siento el impulso irrefrenable de volver a casa, ponerme a ver la tele con mis padres y ser muy aburrida.

—A mí me pasa igual —respondo; después, como necesito contárselo a alguien, añado—: Pero no quiero ver la tele con mis padres, quiero ir a casa, pasar un rato con ellos y decirles que no pasa nada si se divorcian. Me da la sensación de que a lo mejor mi padre no seguiría viviendo en el cobertizo si yo no le hubiera hecho sentir que no podía abandonarme.

—Eso es una estupidez —responde Jazz—. Tú no controlas a tu padre. Él puede hacer lo que quiera.

—¿Y por qué no lo hacen? Mi familia es rara, ¿verdad?

Ella me pasa un chupa-chups.

—Es un poco rara, pero mi madre rinde culto a la luna las noches de los viernes. Los padres son todos un poco raros, en mi opinión.

—¿Y si salimos como ellos?

—Ni de coña pienso rendir culto a la luna los viernes por la noche. Deberías pedirles a tus padres que te lo expliquen, Luce. Puede que te haga sentir mejor.

—¿Te queda algún chupa-chups para mí? —pregunta Daisy, volviéndose.

—¿Tu padre vive en el jardín? —le pregunta Jazz.

—No, vive dentro de casa. Tengo que soportar que mi madre y él se besen todas las mañanas.

Jazz saca los chupa-chups y se los ofrece a Daisy.

—Elige el sabor que quieras.

El conductor se detiene delante del instituto, le pagamos y salimos. Abrazo a Jazz por estar a mi lado.

—Gracias —me dice—, aunque me vendrá mejor cuando me tomen las huellas. Ojalá no estuviera tan oscuro. ¿Qué hora es?

—Las tres menos cuarto —responde Daisy—. No amanece hasta las cinco, por lo menos. Supongo que por eso roban a estas horas.

—Qué estúpidos son —susurra Jazz—. ¿Por qué me gusta un chico tan estúpido?

—Yo me pregunto lo mismo todos los días —dice Daisy—. La verdad es que Dylan no es tan estúpido, ¿sabes? Sacó mejores notas que yo en todos sus exámenes de prueba.

—Leo tampoco es estúpido, la verdad. Esta noche me ha recitado sus poemas. ¿Sabías que una revista quiere publicar sus cosas?

—¿En serio? —responde Daisy—. Es Poeta de verdad.

—Ed es listo —añado.

—Ed es superlisto —dice Daisy—. Todos los aliens hablaban sobre el tema cuando dejo el instituto. Creíamos que Leo y él tenían que haber hecho algo muy malo para que no volviera.

—Vale —corta Jazz mientras se alisa el vestido—. Hay que salvarlos, así que, recordad: permaneced juntas y corred si veis a la poli.

No soy vidente, pero me parece que no hacía falta decirlo.

Poeta

El casino
2:15

Perderla

Hui de mi chica,
dejé atrás la luz del casino,
dejé atrás la cola del cajero,
dejé atrás mi reflejo en el cristal,
con cara de susto.
Dejé atrás el cartel que decía Prohibido el paso, dé la vuelta,
dejé atrás las bolas de fuego que rasgaban el cielo,
volví dejando atrás la luz,
volví dejando atrás la cola del cajero,
volví dejando atrás mi reflejo en el cristal,
todavía con cara de susto.
Volví dejando atrás el cartel que decía Prohibido el paso, dé la
        vuelta,
dejando atrás las bolas de fuego que rasgaban el cielo,
hasta que la perdí.

Ed

Subo a la furgoneta y Leo sale a la carretera, convirtiendo a Lucy en un punto. Un punto con el que nunca tendré una oportunidad.

—Apaga tu teléfono, Dylan —dice Leo, tirándole el móvil—. Y el mío también. No cometamos ningún error estúpido.

—¿Todavía vamos a ir? —pregunto, y siento el impulso de saltar de la furgoneta del amor libre y caer en medio del tráfico.

—¿Quieres que te deje salir? —pregunta Leo.

No está cabreado, solo es una pregunta. Si digo que sí, parará. A través de la ventanilla, el mundo no es más que un destello confuso que da botes y se mueve en dirección contraria.

—Tú tampoco quieres hacerlo. Crees que es una estupidez. Es una estupidez.

—Sé que es una estupidez, pero también lo sería que Malcolm Dove fuera a mi casa y le hiciera algo malo a mi abuela. Y después a ti y a mí.

—Tienes que parar tarde o temprano —le digo—. Tenemos que enfrentarnos a las estupideces que hemos hecho sin que eso suponga hacer más estupideces para resolverlas.

La furgoneta frena un poco y supongo que Leo me está escuchando de verdad.

—El motor ha muerto —dice mientras pisa el acelerador y la gente nos pita.

—¡Sal del cruce! —nos grita un tío desde el coche de atrás.

—¡No puedo hacer nada, imbécil! —le grita Leo.

—Quizá sea la junta —dice Dylan.

—No me he cargado la junta.

—A lo mejor es la transmisión —sugiere Dylan.

—No es la transmisión.

—¿El aceite?

—No.

—Leo, el dinero que te dio Jake para gasolina... Llenaste el depósito antes de prestarme los cincuenta, ¿no? —pregunto; Leo se calla y no puedo contener la risa—. Eso sí que es un cerebro criminal en acción. ¡Se te ha olvidado echar gasolina a la furgoneta de la huida!

—Dylan, pásate aquí y sujeta el volante. Ed y yo empujaremos.

Bajo de la furgoneta y me apoyo en la parte de atrás.

—Qué suerte que pasemos tan desapercibidos —comento.

—Tú empuja.

—Cuando pidan información sobre el robo en *Crime Stoppers*, la mitad de la gente de la ciudad se va a acordar de nosotros.

—¿Quieres empujar?

—Estoy empujando, pero no vamos a ninguna parte.

—Sí que vamos a alguna parte, es que nos está costando porque esta cosa pesa una tonelada.

Los coches pasan junto a nosotros y la gente nos grita barbaridades.

—¿Todavía tienes un buen presentimiento sobre esta noche? —pregunto mientras nos volvemos e intentamos empujar la furgoneta con la espalda; más coches pasan junto a nosotros y más gente nos grita barbaridades—. Parece haber cierto consenso en que somos unos perdedores —digo.

—Bueno, pues no. ¿Te puedes creer que nadie se ha ofrecido a ayudarnos?

—Es de noche, estamos a treinta grados y la ciudad se está volviendo loca. ¿Tú ayudarías a dos tíos que empujan una furgoneta rosa?

—Sí, lo haría.

—Sí que lo harías —coincido—. Eres un buen chico, Leo.

—Es un momento curioso para decirlo, pero lo que tú quieras. Ve hacia esa isleta.

Conseguimos llevar la furgoneta hasta la isleta y nos apoyamos en la parte de atrás para recuperar el aliento.

—La he fastidiado bien con Lucy.

—Bienvenido al club. Yo la he fastidiado bien con Jazz. Se acabaron los chupa-chups para mí. Quería decirle que lo sentía y estaba preparado para hacerlo, pero entonces mis piernas salieron disparadas —explica, moviendo una mano rápidamente en el aire—. Así, sin más.

—¿Te pillaron?

—Dylan y yo las perdimos entre la gente.

—No has tenido novia desde Emma. A lo mejor te entró el pánico.

—He derribado a una ancianita y se le han caído las monedas por el suelo. Creo que puede decirse que me entró el pánico.

—Pues dile que lo sientes. Explícale que tu última novia estuvo a punto de conseguir que te detuvieran —le digo, y lo veo dejarse caer al suelo y apoyar la cabeza en la puerta de atrás—. ¿Leo?

—Te mentí —confiesa—. No me he pasado los últimos diez sábados cortando césped. Necesitaba los quinientos dólares para un curso de poesía. Mi abuela quería que asistiera a un curso de poesía del TAFE los sábados por la mañana.

No digo nada porque no sé qué decir. Por un lado, me sorprende, pero, por el otro, no.

—Estaba escribiendo poesía. Debo dinero a Malcolm porque quería escribir poesía. Te atacaron en el parque por la poesía —sigue, y es como si, una vez dicha la palabra, no pudiera evitar repetirla sin parar—. Sobre todo, hago verso libre, aunque la semana pasada hice un haiku: «Tengo problemas./Debo mucho dinero./Malcolm me mata.».

El haiku de Leo sobre el tío que quiere matarnos me hace reír a carcajadas.

—Mi profesora dijo que era muy desenfadado —continúa Leo, imitándola—. Casi todas las mujeres del curso son de la edad de mi abuela, me caen bien —añade, y me mira—. Deja de reírte.

—¿Por qué no me lo dijiste? —pregunto, aunque sé la respuesta—. No querías que me sintiera como un idiota porque tú sabes leer y yo no.

—No digas chorradas, claro que sabes leer, lo que pasa es que tardas más. He oído lo que Lucy te estaba contando de ese curso en Monash.

—No voy a hacerlo.

—Ya lo sé. Si Bert no hubiese muerto, te habrías quedado allí, muerto de aburrimiento, porque era un sitio seguro.

—Me gustaba trabajar con Bert.

—Te gustaba Bert.

Me enfadaría si no fuera porque sé que tiene razón y él también lo sabe, así que no tendría sentido. Saco el bloc de dibujo y paso las hojas un momento. Bert sonríe y saluda con la mano, como si expresara su acuerdo con Leo.

—Era un buen tipo.

—Era un gran tipo —responde Leo—. Te habría dicho que dejaras de quejarte de una vez y solicitaras el ingreso en el curso.

Nos quedamos mirando el tráfico un rato; vienen y van, los pensamientos sobre Lucy y el curso del que me habló vienen y van. Los pensamientos sobre el curso de Leo también vienen y van.

—Entonces, ¿por qué no me contaste lo de la poesía?

—Porque estaba escribiendo haikus los sábados por la mañana con un grupo de ancianitas —responde—. No es lo mismo que escribir en un vagón de tren. Me sentía un poco gilipollas.

—Tú no eres gilipollas.

—Ya me da igual —contesta, encogiéndose de hombros—. Me gusta la poesía. Si a alguien no le parece bien, que se vayan a la mierda.

—Y tú eres lo bastante grande como para mandarlos a la mierda.

—Exactamente.

Nos quedamos observando el tráfico otro rato, oyendo a la gente gritarnos cosas interesantes, hasta que Leo dice:

—Bert te habría dicho que fueras a hablar con Beth.

—Esta noche se lo he contado todo a Lucy: grafitero en paro que dejó el instituto a los dieciséis. Estaba deseando perderme de vista. Con Beth pasará lo mismo.

Leo se toma un momento para responder.

—Lo sabe. Se lo conté yo. Y le importa una mierda.

Me lo pienso, la veo delante de mí con la caja llena de cosas mías, esperando a que le dijera algo. Lleva meses esperando. La veo esperándome en el árbol esta noche, pienso en cómo se sentirá si no aparezco. Un taxi frena y se detiene delante de nosotros.

—¿Necesitáis que os lleve? —pregunta el conductor.

—A lo mejor todavía llegamos al instituto —comenta Leo.

—No voy a hacerlo —respondo.

Él le hace un gesto al taxista para que siga su camino.

—Eres un chico listo —dice—. Emma me dejó después de mi huida de clase haciendo rápel por la ventana; decía que tenía que madurar o se acabó. Le respondí que maduraría cuando me apeteciera. Emma cortó conmigo porque decidí no madurar —añade, sacudiendo la cabeza—. Así que, para recuperarla, voy y le destrozo la fachada de su casa.

—Técnicamente, yo la destrocé y tú te encargaste de la dirección artística.

Él se ríe entre dientes.

—El curso me hizo pensar un poco, ¿sabes? Creo que somos lo bastante listos para salir de aquí. Lo que pasa es que somos demasiado estúpidos para encontrar la manera.

—Pues sí que fue dinero bien invertido.

Él vuelve a reírse entre dientes.

—Robar el instituto no ha sido una de mis mejores ideas.

—¿Tú tampoco vas?

—Mañana nos apuntamos al McDonald's, yo le cuento la verdad a Jake y le pido ayuda hasta que consiga el dinero.

Dylan sale de la furgoneta y se sienta a nuestro lado.

—Vamos a pedir trabajo en el McDonald's —le cuento.

—Hablaré bien de vosotros. Todavía tenemos que llenar el depósito y devolverle este cacharro a Dave el Loco. Si no lo hacemos, seguro que nos obliga a comer cucarachas.

Ninguno de los tres nos movemos.

—No puedo creerme que le tiraras huevos a Daisy en su cumpleaños —le digo.

—Lleváis dos años saliendo, la conoces desde primaria, ¿cómo es posible que no recuerdes su cumpleaños? —pregunta Leo.

—Intento no prestar demasiada atención a Daisy. Creo que, si lo hago, ella descubrirá que, en realidad, no quiere salir conmigo.

—Es la estupidez más gorda que he oído en mi vida —responde Leo, y presto atención mientras le cuenta a Dylan los secretos del alma femenina—. Nunca le tires nada. De vez en cuando, cuéntale lo que estés pensando, aunque sea sobre la lluvia. Escríbele poemas. Y madura.

—No sé escribir poemas.

—Te daré uno de los míos —dice Leo.

De repente, me doy cuenta de la suerte que tengo, aquí, apoyado en la furgoneta rosa del amor libre, oyendo poesía. Dylan y Leo son mis amigos; Bert lo era; intento no pensar que Lucy ya no lo es. Al menos, Beth no me odia, y eso ya es algo.

—Será mejor que llame a Jake para contarle que la hemos cagado.

A ver si puede traernos gasolina —dice Leo, y enciende su móvil—. Mierda —añade al ver los mensajes—. Me ha mandado como cincuenta sms: «Aléjate del instituto. No hagas el trabajo. Malcolm va a hacer el trabajo. Le pasé el código. ¿Estás ahí, idiota?». Creo que me ha llenado el móvil —concluye antes de marcar el número de su hermano.

—Soy yo —dice, y hace una mueca—. Lo siento, Jakey, te lo compensaré. ¿De verdad? No, no me la pases. No. Abuela, hola —saluda, y hace otra mueca—. Tenía que pagar las clases de poesía de alguna forma. Tú no tenías ese dinero, vives de tu pensión. Vale, tendría que haber preguntado. No, todavía no vuelvo a casa. Volveré cuando termine. Vale. Volveré cuando tú me digas. ¿Cuándo es eso? Vale, me parece justo. Yo también te quiero, abuela. ¿Puedes decirle a Jake que venga con gasolina al cruce entre Flinders Street y Swanson? Me verá. Se me ve a la primera.

—¿Buenas noticias? —pregunto cuando cuelga.

—No del todo buenas, aunque tampoco malas. Pero tus pezones están a salvo. Resulta que Malcolm hizo una visita a mi abuela. Ella lo pilló husmeando alrededor de la casa con sus hombres malos y le dio un golpe en la nariz con el bastón. Los gritos despertaron a Jake y sus colegas. Malcolm les dijo que yo le debía quinientos dólares, y Jake le dijo a Malcolm lo del trabajo, como prueba de que se los pagaría después.

—¿Cuándo llegamos a la parte buena? —pregunto.

—Jake llevó a mi abuela al cajero, y ella pagó los quinientos. Jake le dio a Malcolm el código de la alarma cuando ella no escuchaba, para asegurarse de que estábamos en paz. Ya no debo nada. Qué suerte que nos quedáramos sin gasolina, ¿eh?

—Yo sigo sin pasta para el alquiler.

—Sí, pero tenemos por delante un deslumbrante futuro en McDonald's y, de todos modos, tú no querías hacer el trabajo.

—Es verdad —respondo, y vuelvo a sentirme un tío con suerte.

—¿Por qué no le pediste el dinero a tu abuela? —pregunta Dylan.

—Porque no sabía que tuviera quinientos dólares guardados en una cuenta de ahorro. Y, aunque lo hubiera sabido, no habría querido quitárselo.

—Se lo devolverás —le aseguro.

—Sí. Cuando Jake nos traiga la gasolina, podemos parar en Barry's y comer algo antes de devolver la furgoneta.

Espero, hablamos un rato y gritamos a los coches que pasan hasta que llega Jake, pero no voy a la cafetería. De camino, Leo me deja en casa de Beth.

—Llegas temprano —me dice.

—Puedo esperar.

Pero no hace falta. Salto la valla, voy al árbol y allí está ella. El sol todavía no ha salido, aunque queda poco. El mundo se ha vaciado y reducido al silencio. Me apoyo en el árbol y los pájaros se dispersan.

—Los he espantado —comento.

—Volverán.

—Tengo que contarte algunas cosas. Sé que Leo ya te lo ha dicho, pero quiero que lo oigas de mí —le digo; va a ser difícil, pero estoy harto de ir siempre a lo fácil—. No leí el libro de Vermeer. Lo sé todo sobre él porque fui a las exposiciones y vi documentales, pero nunca leí sobre él. Dejé el instituto porque me resultaba demasiado complicado. No tengo trabajo. Soy Sombra. Y siento haber roto contigo de aquella forma.

Ella se inclina sobre mí y me susurra que ya lo sabe, que me ha echado de menos, que no le importa si tengo o no tengo dinero. Recorre las manchas azules de mis manos, recorre los trozos de cielo que se me quedaron pegados.

Lucy

Daisy, Jazz y yo estamos tumbadas entre los arbustos cercanos al edificio de audiovisuales.

—¿Qué hora es ya?

—Las cuatro —responde Daisy con los ojos cerrados—. Un minuto más que la última vez que preguntaste.

—Llevamos esperando aquí más de una hora. No van a venir —dice Jazz, y se levanta y estira las piernas.

Miro más allá de ella y veo unas sombras que salen de una furgoneta, caminan sobre la hierba y se meten por una ventana.

—Ya están aquí.

Nos movemos en silencio y yo noto un cosquilleo que, estoy segura, es por pensar en Ed, no por pensar en una actividad ilegal. Nos colocamos en la ventana abierta, Jazz se asoma al interior y susurra:

—Ven aquí, Leo.

Sin embargo, Leo no responde, así que añade, un poco más alto:

—¡Leo!

Sigue sin haber respuesta.

—Estarán desenchufando cosas en la sala de los ordenadores. No quiero entrar a menos que sea absolutamente necesario. Intentaré llamarlo al móvil otra vez.

La miro marcar el número.

—Leo —susurra—. Has respondido.

Pone el móvil en alto para que nos acerquemos a escuchar.

—Sí. Siento haber huido antes y también siento haberte mentido.

—Ya hablaremos después. Ahora, sal del edificio de audiovisuales antes de que llegue la poli.

—No estoy en el edificio de audiovisuales —contesta él—. Estoy en Barry's, comiéndome una hamburguesa.

—Si tú estás en Barry's, ¿quién está en el edificio de audiovisuales?

—Jazz, sal de ahí. Vamos a por vosotras, pero tenéis que salir corriendo ahora mismo.

—Hola, Lucy —dice Malcolm, apoyando los brazos en la ventana; me quedo mirando sus dos ojos negros.

—¡Corred! —grito.

Vamos por el atajo que rodea los servicios de las chicas y dejamos atrás la sala de profesores. Yo soy la que más corre porque tengo experiencia con Malcolm y, a juzgar por su cara, no descarto que quiera matarme.

—¿Nos siguen? —chilla Jazz, y contesto que no lo sé; no voy a perder el tiempo mirando.

—¡Vamos, vamos! —grita Daisy, y se pone la primera—. Creo que los tenemos detrás.

Sigue corriendo y mira atrás sin darnos tiempo a avisarla: se da de bruces contra el guardia de seguridad y cae al suelo.

—Vale —dice ella, sacudiendo la cabeza—, eso no me lo esperaba.

El guardia nos mira, nosotras lo miramos, y mi futuro parece oscurecerse hasta que Jazz salta, con su tono de voz más inocente:

—Gracias a Dios que lo hemos encontrado. Estábamos atravesando el instituto para tomar un atajo y hemos visto a unos hombres robando en el edificio de audiovisuales. Les hemos dicho que íbamos a llamar a la policía y han empezado a perseguirnos.

No es una actuación de Globo de Oro, pero se lo traga.

—Quedaos aquí —nos dice—, a lo mejor tenéis que declarar.

En cuanto se pierde de vista, salimos corriendo otra vez. No quiero volver a ver a Malcolm Dove en lo que me queda de vida. No nos detenemos hasta estar a un par de calles del instituto.

—Por lo menos han decidido no hacer el trabajo —comenta Jazz, y todavía se notan los efectos de la carrera en su voz—. Las cosas podrían haber salido mucho peor.

—Ya has tenido tu dosis de acción y aventura —responde Daisy, apoyándose en una valla—. De sobra.

—No me habría importado añadir algo de amor.

Mientras Jazz lo dice, un punto rosa aparece al final de la calle, atravesando la noche como un amanecer diminuto a cámara rápida.

«Son ellos —pienso—. Es Ed.»

Es Ed y por fin voy a tener la oportunidad de arreglarlo todo, de decirle que es listo y que, si no puede leer, debe de haber algún motivo. Y, si no lo hay, no me importa. Le diré que esta es la mejor noche de mi vida, que ha sido estupendo reírnos juntos y hablar con los ojos tapados. Le diré que quiero salir con él hoy, mañana y el día después. Y que uno de esos días quiero llevarlo al estudio de Al para enseñarle todas las cosas que he hecho. Le enseñaré cómo funciona el vidrio, cómo cambia cuando se le aplica calor, que puedes darle colores. Le enseñaré que, después de terminar y enfriarlo, se convierte en algo maravilloso que has creado.

—Oye, ¿lo sentís? —pregunta Jazz—. Ya empieza a cambiar el ambiente.

—Por fin —responde Daisy—. Estoy harta de sudar.

Abro los brazos y dejo que el cambio me flote por la piel. Al final no llegó el relámpago, solo la brisa. Me siento como en esa escultura que me enseñó la señora J, *La victoria alada de Samotracia*. Es de mármol, está en el Louvre de París. La estatua de una diosa alada, Victoria. Perdió la cabeza por el camino, aunque todavía parece triunfante, medio ángel, medio humana, con las alas extendidas. Me vuelvo hacia Jazz.

—Voy a besar a Ed —anuncio, y ella sonríe.

La furgoneta se acerca, y de la parte delantera salen Leo y Dylan. Leo se acerca a Jazz, sonríe, y en su sonrisa me doy cuenta de algo que no vi al principio: le gusta de verdad. Ella lo regaña con un dedo.

—No salgo con chicos con antecedentes.

Veo que él toma una de sus trenzas y la retuerce lentamente.

—No voy a ir a la cárcel —responde—. Estoy considerando la posibilidad de madurar.

Abro la puerta de atrás de la furgoneta y mi cosquilleo vuelve a invertirse.

—Está vacía.

—Porque decidimos no robar el instituto —responde Leo, sin dejar de darle vueltas a la trenza de Jazz.

—¿Y dónde está Ed?

Leo deja la trenza y me mira. Antes de que conteste, sé que Ed está con Beth.

—Bien por él —digo, y me siento en la cuneta—. Bien por él —añado, y me tumbo en la acera—. Bien por él.

Jazz se tumba a mi lado sobre el hormigón.

—Estoy mirando las estrellas —le explico.

—¿Estás haciendo eso de intentar sentirte muy pequeña para que tus problemas parezcan insignificantes?

—No, estoy mirándolas porque no están cubiertas de contaminación. Lo único que quiero de ellas es que estén a la vista.

—¿Estás sufriendo una crisis nerviosa?

—No, estoy decepcionada, pero al menos conozco la verdad sobre Sombra. También estoy bastante segura de que conozco la verdad sobre mis padres. Al menos, la conoceré cuando les pregunte por el divorcio dentro de un rato.

—Siento haberte obligado a hacer lo que yo quería esta noche —responde ella—. Soy una amiga mandona. Siempre estoy haciendo comentarios sobre tus padres, cuando lo cierto es que ni siquiera los conozco tanto.

—Pero tenías razón, la realidad es mejor. La verdad es mejor.

Dolorosa, aunque mejor.

—¿Está bien? —pregunta Leo.

—Sí —responde Jazz—. Ven, túmbate con nosotras en la acera. Estamos mirando las estrellas.

Nos tumbamos los tres, y escuchamos a Dylan y a Daisy hablar de fondo.

—Siento haberte tirado huevos en tu cumpleaños —dice él.

—Tú escribe la fecha en alguna parte para que no se te olvide el año que viene.

—Vale, ¿qué día fue ayer?

—Diecinueve de octubre —gritamos todos.

—¿Eso quiere decir que todavía estaremos juntos el año que viene? —pregunta él.

—Quiere decir que hay esperanzas —responde ella—, pero no vuelvas a mentirme.

—Si no puedo mentirte, tú no puedes llamarme estúpido.

—Me parece justo.

Dylan saca un trozo de papel del bolsillo y lee:

—Si mi amor por ti fuera un estadio lleno de gente, el ruido te dejaría sorda. Si mi amor por ti fuera un boxeador, habría un tío muerto en la lona. Si mi amor por ti fuera azúcar, perderías los dientes antes de los veinte. Y si mi amor por ti fuera dinero, te aseguro que podrías gastar una cantidad ingente.

—No lo has escrito tú, ¿no? —pregunta Daisy.

—Las ideas son mías, Leo hizo que rimaran.

—Me vale —responde ella, y se mete el papel en el bolsillo.

Me levanto al cabo de un rato y saco la bici de la furgoneta. Está un poco perjudicada, pero todavía funciona. Desato el casco y me lo pongo. Pedaleo despacio por las calles, notando un viento fresco en la piel. La oscuridad vidriosa pronto desaparecerá para dar comienzo al día. Los pájaros se vuelven locos y el mundo les pertenece, de momento. Y a mí. Pedaleo de un lado a otro de la calle. No voy a recordar esta noche como la noche que me abandonaron por Beth, ni como la noche en la que casi me besa Sombra. Voy a recordarla como una aventura, como el comienzo de algo real.

Poeta

5:30

Aquí

Dice que me perdonará,
dice que solo esta vez,
dice que la bese ya,
dice que siga jugando con su pelo,
dice que eso es justo lo que yo buscaba,
dice que se alegra de que haya cambiado el tiempo.
Yo le digo que nos vemos mañana,
y ella mira el reloj y dice
que mañana ya está aquí.

Ed

Mientras los pájaros vuelan, tomo la mano de Beth. Ella deja de susurrarme al oído porque sabe igual que yo que algo ha cambiado, que viene aquí para pedir perdón y para decir que hemos terminado de verdad. No puedo seguir con ella si estoy pensando en Lucy.

—Por lo menos he podido despedirme. Te portaste fatal cuando me dejaste.

—Creía que acabarías con uno de aquellos chicos de tu instituto.

—Quería que fuera contigo —afirma, y suena tan triste que me mata.

Nos sentamos bajo el árbol un poco más y hablamos. Entonces, ella dice:

—Tienes que irte ya.

Y me suelta la mano.

Como es una chica genial, me presta su bici y me da dos de las cervezas de su padre. Es genial de cojones, como diría Bert, y me río entre dientes al pensar en su expresión al decirlo.

—Ed —me llama ella antes de irme—, no hagas lo mismo con ella.

Pedaleo hasta la esquina de su calle y me paro para despedirme con la mano, pero Beth ya no está.

Voy hasta el muelle y encuentro a Bert donde lo dejé. Abro las cervezas y charlamos sobre lo de esta noche, sobre los sitios a los que puedo ir.

—Todavía te queda uno —me recuerda, y lo sé.

Quizá Lucy no quiera estar conmigo, pero tengo que dejar claras las cosas con ella o, al menos, intentarlo. Quien no arriesga, no gana.

Paro en casa un momento a por pintura. Mi madre está sentada en la mesa, garabateando sus lúgubres cálculos. Le doy un beso en la mejilla.

—¿Qué tal Maria?

—Una sarta de estupideces —responde ella, sonriendo—. ¿Dónde has estado?

—Fuera, en la ciudad, celebrando la última noche de instituto de Leo —contesto mientras le quito un trozo de tostada—. ¿Sabías que ha estado estudiando poesía?

—No, aunque no me sorprende. Mis chicos tienen talento —afirma, y me alborota el pelo.

—¿Qué? ¿Te cuadran los números?

Ella mira el libro y recorre las columnas con el bolígrafo.

—Podemos pagar el alquiler. Este mes no nos echan a los perros.

Le preparo una taza de té antes de irme de nuevo. Puede que ahora nos cueste salir a flote, pero no será así para siempre. Se me ocurre un muro con perros salvajes corriendo y yo persiguiéndolos a ellos vestido con un uniforme del McDonald's. Por lo menos no llevo un mono naranja...

Lucy

Cuando llego a casa, caminando al lado de la bici, encuentro a mis padres sentados en tumbonas delante del cobertizo. Beben café y hablan.

—Son las seis de la mañana, ¿me estáis esperando?

—Estamos disfrutando del cambio de tiempo —responde mi madre— y felicitándonos por unas cuantas cosas. Como por haber criado a una hija que ayer terminó el instituto.

—Enhorabuena, Lucy Dervish —dice mi padre—. Lo has conseguido.

—Todavía me quedan exámenes y la entrevista con el organizador del curso de arte.

—Podrás con ello —afirma mi madre, sonriendo—. Anoche fuimos al estudio de Al. Nos llamó por si queríamos echar un vistazo a tus trabajos antes de empaquetarlos y llevarlos a clase.

—¿Qué os ha parecido? —pregunto, y me siento en el suelo, entre ellos.

—Que era la cosa más espectacular que había visto en mi vida —responde mi madre—. Mi hija, la artista.

—Me has metido en una botella. ¿Cómo lo has hecho? —pregunta mi padre.

—Te hice plegable. Te metí dentro, y después te levanté con una cuerda y te pegué con masilla.

—Jo, sí que te ha costado.

—Eres importante para mí, papá. ¿Y qué más estáis celebrando?

—Bueno, he terminado mi novela.

—Eso es genial, mamá.

—Y tu padre casi ha terminado su nuevo número. No te destriparé nada, pero lo representó para mí anoche y es muy bueno. Triste y gracioso.

—El humor sin tristeza no es más que un tartazo en la cara —afirma mi padre, sonriendo.

A mí no me importaría que me dieran un tartazo en la cara si así consiguiera que todos fuéramos felices.

—Estoy deseando verlo, papá.

—Por nosotros —brinda mi madre, levantando su taza de café.

—Se os olvida una cosa. Se os olvida decirme que vais a divorciaros. No pasa nada —le digo a ella cuando veo que sacude la cabeza—. Ya casi tengo dieciocho años, puedo soportarlo.

—No nos vamos a divorciar, Lucy, te lo he dicho un millón de veces. Quiero a tu padre y él me quiere a mí.

—Vive en el cobertizo.

—Puede que me mude yo al cobertizo para escribir mi siguiente libro —responde mi madre—. Puede que papá viva en la casa. O puede que me vaya un par de meses. Ya eres mayor, así que creo que no pasaría nada. ¿Te parecería bien?

—Bueno, sí —respondo, y no puedo guardarme lo que llevo deseando soltar desde hace tiempo—. Sois raros. Esto es muy raro. Estáis casados, tendríais que querer estar juntos todo el rato.

—Hemos criado a una hija muy conservadora —dice mi madre, entre risas—. Demasiado *Orgullo y prejuicio*.

—Eso podría cambiar —interviene mi padre—, todavía queda tiempo para introducirla en la obra de Margaret Atwood.

—Muy gracioso, tronchante. Estoy metiéndome en el mundo de las relaciones adultas, necesito consejos sólidos.

—Solo puede decirte que elijas una relación que sea buena para ti. Yo necesito escribir, igual que tu padre —explica mi madre, encogiéndose de hombros—. Ya has visto cómo discutimos cuando no tenemos tiempo para hacerlo. Pero te queremos. Lo entiendes, ¿no, Luce?

—Lo entiendo —respondo; hay muchas cosas que no entiendo, pero eso sí—. Sigue pareciéndome raro.

—Por la familia Dervish —brinda mi madre, alzando de nuevo la taza de café—. Genial, aunque un poquitín rara.

Supongo que es como el arte: lo que veía en mis padres era más cosa mía que suya. Los veo charlar y reír. ¿Quién dice que ha muerto el amor? No ha muerto, es que se ha mudado al cobertizo. Me parto un poco de risa con la idea.

—¿Y si enciendes tu hornillo de *camping* y me haces unas tortitas?

—Magia —dice mi madre.

Me quito la muñequera y se la devuelvo a mi padre.

—Para que te dé buena suerte en el nuevo número, aunque, después de esta noche, tengo serias dudas sobre las virtudes de esta pulsera.

Me suena el móvil mientras mi padre cocina, y es Al: «Sombra está aquí. Ahora mismo». Pienso en Ed pintando un muro y espero que sea distinto de los que hay desperdigados por la ciudad. Sin embargo, sé que, aunque parte del grafiti proyecte esperanza porque ha vuelto con Beth, todavía hay un rinconcito que me pertenece. Un rinconcito en el que le digo que sí me supone un problema que no sepa leer, que esté en la ruina, que no tenga trabajo. No quiero que me pinte así.

Me pongo el casco y agarro la bici.

—Ahora vuelvo.

—¿Dónde está el incendio, Lucy Dervish? —pregunta mi padre.

Dentro de mí, bajo mi piel. Creo que tengo lo bastante como para darle un poco a Ed. Salgo de casa bajo un cielo oscuro que se destiñe para volverse rosa. Le debo algunas palabras: «Para ti». Supone un problema para ti.

Pedaleo calle abajo por Rose Drive, donde los camiones de la basura recogen los cubos y empañan el olor a jazmín. Jardines enredados sostienen casas borrachas a uno y otro lado. Por favor, que llegue a tiempo. Que llegue a Ed antes de que acabe oficialmente la noche y él pinte ese rinconcito de muro conmigo dentro, diciéndole que es menos de lo que en realidad es.

Las motas de luz de las estrellas de la fábrica empiezan a desvanecerse. Al fondo surge la ciudad, edificios grises apuntando al cielo. Me gusta este sitio tanto de día como de noche. Me gustan las cajas apiladas en los muelles y los edificios antiguos. Me gusta la calle de Al, toda la industria amontonada. Me gusta que su estudio de vidrio y los muros de Sombra me pillen por sorpresa en medio de todo. En lo alto de la colina, aparto las manos de los frenos y me dejo llevar.

Ed

Pinto el cielo deprisa. Ojos delante y detrás. La pintura vuela por el muro y las cosas que tengo en la cabeza vuelan de la lata al ladrillo. Mira esto, Lucy. Mira cómo nos vaciamos en una pared. Somos tan grandes que no puedes dejar de vernos, aunque llegues aquí cuando ya me haya ido.

El jefe de Lucy está sentado en su escalón, observando y mandando sms. De vez en cuando me vuelvo para ver si viene Lucy, y compruebo que él sigue allí.

Termino y doy unos pasos atrás para contemplarlo todo; sé que es mi mejor obra hasta la fecha. Oigo a alguien sorber detrás de mí. El anciano me da un café.

—Me gusta tu trabajo —dice—. Sombra, ¿no?

—Sí. En realidad, es Ed.

—Al —se presenta; me ofrece la mano y se la doy—. Es distinta de tus otras obras —comenta, señalando la pared.

—Estoy probando un nuevo estilo.

—Me gusta.

—A mí también me gusta su trabajo. Las flores del techo. Creía que eran trompetas, pero Lucy me lo aclaró. Le ha mandado un sms, ¿verdad?

Durante un segundo, parece sorprenderse.

—Unos cuantos —responde, y vuelve a hacerlo—. Aparecerá pedaleando a toda velocidad por esa colina en cualquier momento. Hoy has empezado temprano.

—Todavía no me he acostado. Más que empezar temprano, acabo tarde.

—Yo siempre trabajo a estas horas —dice—. La salida del sol es el mejor momento para hacer el vidrio. No hay hora con mejores colores.

Entiendo por qué a Lucy le cae bien Al; me recuerda un poco a Bert. Le pregunto por el curso que ella me mencionó y le digo que no sé leer muy bien; él responde que las universidades te pueden ayudar con eso.

—A lo mejor te ponen un escriba, alguien que redacte por ti. ¿Alguna vez has tenido algo parecido?

—Leo me escribía las cosas cuando iba al instituto. Lo dejé a los dieciséis, no tengo una muestra de trabajos.

Al bebe su café y mira el muro.

—Puede que sí la tengas. Lucy sabe hacer buenas fotos, os puedo prestar mi cámara. Haz fotografías de tus obras.

—¿Y esa podría ser mi muestra?

—No estoy seguro, pero conozco a una mujer, Karen Josepha. Podría preguntarle.

—La señora J.

—La señorita J, en realidad. Es la profesora de Arte de Lucy.

—La conozco, es genial.

—Es absolutamente genial.

Miramos hacia la colina, esperando a Lucy, que se está haciendo de rogar, como diría Bert.

—Me gusta Vermeer, ¿y a usted? —pregunto al cabo de un rato.

—Sí. ¿Fuiste a la exposición de hace unos meses?

—Fui con un amigo, mi antiguo jefe de la tienda de pintura. Me quedé sin trabajo cuando murió.

—Estoy buscando alguien para limpiar, ¿tienes referencias?

—Sí, claro.

Y, así, sin más, me ofrece un trabajo. Entramos en su estudio y me lo enseña todo. Le doy el número de Valerie.

—También puede preguntar a la señora..., quiero decir, a la señorita J. Ella sabe que soy trabajador.

—Seguro que sí.

Doy una vuelta por ahí, mirando el cristal.

—*La armada de la memoria* —comento, y levanto una de las botellas.

Son alucinantes, recuerdos atrapados en masilla. Es como si el contenido de su cabeza estuviera sobre la mesa. La última botella de la serie tiene dentro un muro de Sombra diminuto. Es el que hice de un cielo azul sobre ladrillos.

—Esa clase de azul no se ve por aquí —le cuento a Al—. Ese azul es perfecto.

Le dejo a Al un mensaje para Lucy y salgo. Estoy al final de la calle cuando la veo, volando hacia mí con su casco de relámpago. Paro y espero a que llegue.

—Hola —me dice.

—Hola —respondo—. He conocido a tu jefe. Me ha ofrecido un trabajo, limpiar su estudio.

Quiero que sepa de inmediato que no soy el mismo tío de anoche, que no sé quién soy, pero que no soy ese tío.

—Eso es genial, estupendo —contesta, y se quita el casco para colgarlo del manillar.

—No pareces muy contenta. Tienes esta cara —comento, y la imito.

—¿De verdad? Quería que me vieras contenta. ¿Seguro que tengo esa pinta?

—Sí.

—A lo mejor esto sería más fácil si me taparas la cara.

—Veo que sigues siendo una romántica.

—Antes de que te fueras del casino —empieza, tapándose la cara ella sola—, lo que quería decir es que supone un problema para ti. Todas esas cosas, como dejar el instituto, no tener trabajo y no poder leer bien, te suponen un problema a ti, no a mí.

Ahora tengo algo dentro de mí. No es mucho, pero es más de lo que tenía.

—No he robado el instituto.

—Lo sé. Fui allí a salvarte.

Miro la peca de su cuello y hago unos cuantos planes de viaje.

—¿Crees que me pasaré la vida huyendo de Malcolm? —pregunta.

—Qué va, el hermano de Leo se ha ocupado del tema. Aunque yo de ti me alejaría de los parques oscuros.

—No deberías haberme mentido toda la noche —dice—. Ahora me siento muy tonta por todo lo que te conté sobre Sombra. Tendrías que haberme dicho la verdad. Eso sí que supone un problema.

—Lo sé —respondo.

No dejo de mirar esa peca. Le debo algo por lo que hice. Pienso en el cuadro de Vermeer, el de la balanza. Al final, tienes que compensar, aunque no sea gran cosa.

—Me gustas —confieso—. No quería que pensaras que era estúpido, así que mentí. Intenté contártelo cuando nos paramos en la autovía.

Ella guarda silencio durante un siglo.

—Ahora sería un buen momento para decirme que no soy estúpido —comento.

—Si te gusto, ¿por qué volviste con Beth?

—No he vuelto con Beth.

—¿De verdad?

—Vale, quítate la mano de la cara, esto es demasiado raro.

Ella lo hace, sonríe, y yo pienso en un muro tras otro. Laberintos verdes que dan vueltas y dos personas dando vueltas por ellos. Entradas que llevan a alguna parte. Cielos del azul perfecto que andaba buscando.

Lucy

Escucho a Ed con los ojos cerrados. Hay algo en su voz que no había oído antes: la verdad, quizá. Le gusto. Tres mundos que colisionan. No volvió con Beth.

—¿De verdad?

—Vale, quítate la mano de la cara, esto es demasiado raro.

Lo hago, nos sonreímos un rato y no resulta incómodo. Ed no ha vuelto con Beth. Mis padres están enamorados, pero no quieren vivir juntos todo el tiempo. Dylan y Daisy se pelean, pero siguen juntos, al menos hasta el siguiente cumpleaños. Leo es un poeta y le gusta Jazz, y así están las cosas.

No sé nada del amor, aunque sé que quiero besar a Ed. Sé que quiero que sea feliz. Ahora es más feliz que antes; lo veo porque me he quitado la mano de la cara.

—Fui a verla —explica—. Resulta que, en realidad, fui a despedirme de ella. —Sonríe; yo sonrío—. Tienes una sonrisa genial.

—Mi padre vive en el cobertizo, pero no van a divorciarse.

—Vale.

—Quería contártelo, en honor a nuestra reciente honestidad.

—Vale —repite, y se acerca más, y el cosquilleo me recorre el cuerpo y estoy muy nerviosa, muy, muy nerviosa.

—¿Estás bien? —pregunta.

—Estoy bien. Sigue, sigue.

Sus labios se dirigen a la peca de mi cuello. Gracias, sol. Gracias, gracias, sol. Se abre paso hacia mi boca, y mi sangre se convierte en cristal caliente, caramelizado y brillante que se mueve con su aliento. Ni siquiera tengo que esforzarme: levito sola.

—No me vas a volver a mentir —le digo, y él responde que ese es el plan—. Dejaste el instituto porque no podías leer —añado, y él responde que por eso y porque una chica le rompió la nariz—. Tus obras son lo que más me gusta de esta ciudad.

Y él dice:

—He pintado un muro para ti. Quizá sea el último que haga en un tiempo.

—¿Por qué el último?

—Estoy pensando en el curso que mencionaste. En trabajar en papel.

—Creía que los tíos como tú vivíais para la adrenalina.

—Ese es Leo. En fin, ¿quieres verlo?

Caminamos con las bicis colina abajo hacia el estudio de Al y contemplo su dibujo.

—Vaya.

—Gracias —responde.

Es el sol, una bola de cristal ardiente que se apodera de la noche. No lo ha firmado, pero sé quién es, sé quién soy yo, aunque todavía no sé del todo quiénes somos los dos juntos. Ed saca una lata de pintura y dibuja un pajarito amarillo. No es como el pájaro dormido con el buche hacia el cielo.

Está despierto.

Cath Crowley creció en la Victoria rural (Australia), y estudió escritura y edición profesionales en el Royal Melbourne Institute of Technology. En la actualidad trabaja como escritora *freelance* en Melbourne. Si deseas saber más sobre Cath, visita <cathcrowley.com.au>.